Diese Ausgabe der »Suhrkamp BasisBibliothek – Arbeitstexte für Schule und Studium« bietet nicht nur Ulrich Plenzdorfs *Die neuen Leiden des jungen W.*, sondern auch einen Kommentar, der alle für das Verständnis des Buches erforderlichen Informationen enthält: eine Zeittafel zu Leben und Werk Plenzdorfs, die Entstehungs- und Rezeptionsgeschichte des Textes, einen kommentierten Forschungsüberblick, Literaturhinweise sowie detaillierte Wort- und Sacherläuterungen. Der Kommentar ist entsprechend den neuen Rechtschreibregeln verfasst.

Jürgen Krätzer, Dr. phil., geboren 1959, Tätigkeit an verschiedenen Kultur- und Bildungseinrichtungen, Redaktionsmitglied der *Zeitschrift für Literatur, Kunst und Kritik die horen*. Rezensionen, Essays, Aufsätze zur Literatur nach 1945 und der Literatur der Aufklärung.

Ulrich Plenzdorf
Die neuen Leiden des jungen W.

Mit einem Kommentar
von Jürgen Krätzer

Suhrkamp

Der vorliegende Text folgt der Ausgabe: Ulrich Plenzdorf,
Die neuen Leiden des jungenW., Frankfurt am Main: Suhrkamp
Verlag 1976 (= suhrkamp taschenbuch 300).

7. Auflage 2013

Erste Auflage 2004
Originalausgabe
Suhrkamp BasisBibliothek 39

Die neuen Leiden des jungen W.: © 1973 Hinstorff Verlag Rostock.
Alle Rechte bei und vorbehalten durch Suhrkamp Verlag Frankfurt am Main.
Kommentar: © Suhrkamp Verlag, Frankfurt am Main 2004.
Alle Rechte vorbehalten, insbesondere das der Übersetzung, des öffent-
lichen Vortrags sowie der Übertragung durch Rundfunk und Fernsehen,
auch einzelner Teile. Kein Teil des Werkes darf in irgendeiner Form (durch
Fotografie, Mikrofilm oder andere Verfahren) ohne schriftliche Geneh-
migung des Verlages reproduziert oder unter Verwendung elektronischer
Systeme verarbeitet, vervielfältigt oder verbreitet werden.

Satz: pagina GmbH, Tübingen
Druck: CPI – Ebner & Spiegel, Ulm
Umschlagfoto: Roger Melis
Umschlaggestaltung: Regina Göllner und Hermann Michels
Printed in Germany
ISBN 978-3-518-18839-2

Inhalt

Ulrich Plenzdorf, *Die neuen Leiden des jungen W.*   7

Kommentar

Zeittafel 103

Text- und Entstehungsgeschichte 110
   Unterschiede in den Textfassungen 114

Rezeptionsgeschichte und Deutungsansätze 117
   Innerlichkeit vs. Gemeinschaftsideal 117
   Das Fehlen einer positiven Gegenfigur 120
   »Anti-Werther« oder »Werther in Jeans«? 124
   Werthers Briefe – Code oder Maske? 128
   Unfall oder Selbstmord? 131
   Der Fänger im Roggen 133
   Struktur 137

Epilog 139

Literaturhinweise 142

Wort- und Sacherläuterungen 147

Die neuen Leiden des jungen W.

Notiz in der »Berliner Zeitung«
vom 26. Dezember:

Am Abend des 24. Dezember wurde der Jugendliche Edgar W. in einer Wohnlaube* der Kolonie* Paradies II im Stadtbezirk Lichtenberg schwer verletzt aufgefunden. Wie die Ermittlungen der ⌐Volkspolizei¬ ergaben, war Edgar W., der sich seit längerer Zeit unangemeldet in der auf Abriß stehenden Laube aufhielt, bei Basteleien unsachgemäß mit elektrischem Strom umgegangen.

> Mit einfachen Mitteln gebautes Gartenhäuschen
>
> Kurzwort für »Laubenkolonie«, Synonym zu »Kleingartenanlage«

Anzeige in der »Berliner Zeitung«
vom 30. Dezember:

Ein Unfall beendet am 24. Dezember das Leben unseres jungen Kollegen

Edgar Wibeau

Er hatte noch viel vor!

⌐VEB¬ ⌐WIK¬ Berlin

AGL*   Leiter   FDJ*

> Abteilungsgewerkschaftsleitung
>
> Freie Deutsche Jugend, Massenorganisation der Jugendlichen der DDR

Anzeigen in der »Volkswacht« Frankfurt/O.
vom 31.Dezember:

Völlig unerwartet riß ein tragischer Unfall unseren un-
vergessenen Jugendfreund

               Edgar Wibeau   5

aus dem Leben.

        ⌐VEB (K)⌐ Hydraulik Mittenberg

Berufsschule   Leiter   FDJ

Für mich noch unfaßbar erlag am 24. Dezember mein
lieber Sohn

               Edgar Wibeau   10

den Folgen eines tragischen Unfalls.

                            Else Wibeau

»Wann hast du ihn zuletzt gesehen?«

»Im September. Ende September. Am Abend bevor er wegging.«

»Hast du nie an eine Fahndung gedacht?«

»Wenn mir einer Vorwürfe machen kann, dann nicht du! Nicht ein Mann, der sich jahrelang um seinen Sohn nur per Postkarte gekümmert hat!«

»Entschuldige! – War es nicht dein Wunsch so, bei meinem Lebenswandel?!«

»Das ist wieder deine alte Ironie! – Nicht zur Polizei zu gehen war vielleicht das einzig Richtige, was ich gemacht hab. Selbst das war schließlich falsch. Aber zuerst war ich einfach fertig mit ihm. Er hatte mich in eine unmögliche Situation gebracht an der Berufsschule und im Werk. Der Sohn der Leiterin, bis dato* der beste Lehrling, Durchschnitt eins Komma eins, entpuppt sich als ⌐Rowdy⌐! Schmeißt die Lehre! Rennt von zu Hause weg! Ich meine . . .! Und dann kamen ziemlich schnell und regelmäßig Nachrichten von ihm. Nicht an mich. Bewahre. An seinen Kumpel Willi. Auf Tonband. Merkwürdige Texte. So geschwollen. Schließlich ließ sie mich dieser Willi anhören, die Sache wurde ihm selber unheimlich. Wo Edgar war, nämlich in Berlin, wollte er mir zunächst nicht sagen. Aus den Tonbändern wurde jedenfalls kein Mensch schlau. Immerhin ging so viel daraus hervor, daß Edgar gesund war, sogar arbeitete, also nicht ⌐gammelte⌐. Später kam ein Mädchen vor, mit der es dann aber auseinanderging. Sie heiratete! Solange ich ihn *hier* hatte, hat er nichts mit Mädchen gehabt. Aber es war doch kein Fall für die Polizei!«

Stop mal, stop! – Das ist natürlich Humbug*. Ich hatte ganz schön was mit Mädchen. Zum erstenmal mit vierzehn. Jetzt kann ich's ja sagen. Man hatte so allerhand Zeug gehört, aber nichts Bestimmtes. Da wollte ich's end-

bis zu diesem Zeitpunkt

(ugs.) unsinnig, falsch

lich genau wissen, das war so meine Art. Sie hieß Sylvia. Sie war ungefähr drei Jahre älter als ich. Ich brauchte knapp sechzig Minuten, um sie rumzukriegen. Ich finde, das war eine gute Zeit für mein Alter, und wenn man bedenkt, daß ich noch nicht meinen vollen Charme hatte und nicht dieses ausgeprägte Kinn. Ich sag das nicht, um anzugeben, sondern daß sich keiner ein falsches Bild macht, Leute. Ein Jahr später klärte mich Mutter auf. Sie rackerte sich ganz schön ab. Ich Idiot hätte mich beölen* können, aber ich ⌜machte Pfötchen⌝ wie immer. Ich glaube, das war eine Sauerei.

»Wieso entpuppte er sich als Rowdy?!«

»Er hat seinem Ausbilder den Zeh gebrochen.« – »Den Zeh?«

»Er hat ihm eine schwere Eisenplatte auf den Fuß geworfen, eine Grundplatte. Ich war wie vor den Kopf geschlagen. Ich meine . . . !«

»Einfach so?«

»Ich war nicht dabei, aber der Kollege Flemming sagte mir – das ist der Ausbilder, ein erfahrener und alter Ausbilder, zuverlässig –, daß es *so* war: Er verteilt morgens in der Werkstatt die Werkstücke, ebendiese Grundplatten zum Feilen. Und die Burschen feilen auch, und beim Nachmessen fällt ihm auf, Edgars Nachbar, Willi, hat da eine Platte fertig, aber die hat er nicht gefeilt, die war aus dem Automaten. In der Produktion werden die Grundplatten natürlich automatisch gefertigt. Der Junge hat sie sich besorgt und zeigt sie jetzt vor. Sie ist natürlich genau bis auf ein Hundertstel*. Er sagt ihm das: Die ist aus dem Automaten.

Willi: Aus was für einem Automaten?

Flemming: Aus dem Automaten in Halle zwei.

Willi: Ach, da steht ein Automat?! – Das kann ich doch gar nicht wissen, Meister. In der Halle waren wir zum letzten Mal, als wir anfingen mit der Lehre, und da hielten wir die Dinger noch für Eierlegemaschinen.

Und das war dann Edgars Stichwort, das war natürlich alles vorher abgemacht: Also nehmen wir mal an, da steht ein Automat. Kann ja sein. Da fragt man sich doch, warum wir dann die Grundplatten mit der Feile zurechtschruppen müssen. Und das im dritten Lehrjahr.«

Gesagt hab ich das. Das stimmt. Aber aus dem Hut*. Abgemacht war überhaupt nichts. Ich wußte, was Willi und die anderen vorhatten, wollte mich aber raushalten, wie immer.

<aside>ohne langes Überlegen (in Anlehnung an diverse Zaubertricks)</aside>

»Flemming: Was hab ich euch gesagt, als ihr bei mir angefangen habt? – Ich hab euch gesagt: Hier habt ihr ein Stück Eisen! Wenn ihr aus dem eine Uhr machen könnt, habt ihr ausgelernt. Nicht früher und nicht später.

Das ist so sein Wahlspruch.

Und Edgar: Aber Uhrmacher wollten wir eigentlich schon damals nicht werden.«

Das wollte ich Flemming schon lange mal sagen. Das war nämlich nicht nur sein blöder Wahlspruch, das war seine ganze Einstellung aus dem Mittelalter: ⌐Manufakturperiode⌐. Bis da hatt ich's mir immer verkniffen.

»Und anschließend warf ihm Edgar dann diese Grundplatte auf den Fuß und mit dermaßen Kraft, daß ein Zeh brach. Ich war wie vom Donner gerührt. Ich wollte das erst nicht glauben.«

Stimmt alles. Bis auf zwei Kleinigkeiten. Erstens hab ich die Platte nicht *geworfen*. Das brauchte ich nicht. Diese Platten waren auch so schwer genug, einen ollen Zeh oder was zu brechen, einfach durch ihre Masse. Ich brauchte sie bloß fallen zu lassen. Was ich denn auch machte. Und zweitens ließ ich sie nicht *anschließend* fallen, sondern erst sagte Flemming noch einen kleinen Satz, nämlich er tobte los: Von dir hätte ich das am allerwenigsten erwartet, Wiebau!

Da setzte es bei mir aus. Da ließ ich die Platte fallen. Wie das klingt: Edgar Wiebau! – Aber Edgar Wibeau! Kein Aas sagt ja auch Nivau statt Niveau. Ich meine, jeder Mensch hat schließlich das Recht, mit seinem richtigen Namen richtig angeredet zu werden. Wenn einer keinen Wert darauf legt – seine Sache. Aber ich lege nun mal Wert darauf. Das ging schon jahrelang so. Mutter ließ sich das egal weg gefallen, mit Wiebau angeredet zu werden. Sie war der Meinung, das hätte sich nun mal so eingebürgert, und sie wär nicht gestorben davon und überhaupt, alles, was sie im Werk geworden ist, ist sie unter dem Namen Wiebau geworden. Und natürlich hieß unsereins dann auch Wiebau! Was ist denn mit Wibeau? Wenn's ⌐Hitler⌐ wär oder ⌐Himmler⌐! Das wär echt säuisch! Aber so? Wibeau ist ein alter ⌐Hugenottenname⌐, na und? – Trotzdem war das natürlich kein Grund, olle Flemming die olle Platte auf seinen ollen Zeh zu setzen. Das war eine echte Sauerei. Mir war gleich klar, daß jetzt kein Schwein mehr über die Ausbildung reden würde, sondern bloß noch über die Platte und den Zeh. Manchmal war mir eben plötzlich heiß und schwindlig, und dann machte ich was, von dem ich nachher nicht mehr wußte, was es war. Das war mein Hugenottenblut, oder ich hatte einen zu hohen Blutdruck. Zu hohen Hugenottenblutdruck.

»Du meinst, Edgar hat einfach die Konsequenz der Sache gescheut und ist deshalb weg?«

»Ja. Was sonst?«

Ich will mal sagen: Besonders scharf war ich auf das Nachspiel nicht. »Was sagt der Jugendfreund* Edgar Wiebau (!) zu seinem Verhalten zu Meister Flemming?« Leute! Ich hätt mir doch lieber sonstwas abgebissen, als irgendwas zu
5 sülzen* von: Ich sehe ein ... Ich werde in Zukunft ..., verpflichte mich hiermit ... und so weiter! Ich hatte was gegen ⌐Selbstkritik⌐, ich meine: gegen öffentliche. Das ist irgendwie entwürdigend. Ich weiß nicht, ob mich einer versteht. Ich finde, man muß dem Menschen seinen Stolz las-
10 sen. Genauso mit diesem Vorbild. Alle forzlang kommt doch einer und will hören, ob man ein Vorbild hat und welches, oder man muß in der Woche drei Aufsätze darüber schreiben. Kann schon sein, ich hab eins, aber ich stell mich doch nicht auf den Markt damit. Einmal hab ich ge-
15 schrieben: Mein größtes Vorbild ist Edgar Wibeau. Ich möchte so werden, wie er mal wird. Mehr nicht. Das heißt: Ich *wollte* es schreiben. Ich hab's dann bleibenlassen, Leute. Dabei wäre der Aufsatz höchstens nicht gewertet worden. Kein Aas von Lehrer traute sich doch, mir eine Fünf
20 oder was zu geben.

»Kannst du dich an sonst noch was erinnern?«
»An einen Streit natürlich? – Wir haben uns nie gestritten. Doch, einmal schmiß er sich vor Wut die Treppen runter, weil ich ihn irgendwohin nicht mitnehmen woll-
25 te. Da war er fünf, wenn du *das* meinst. – Trotzdem wird alles wohl meine Schuld sein.«

Das ist großer Quatsch! Hier hat niemand schuld, nur ich. Das wolln wir mal festhalten! – Edgar Wibeau hat die Lehre geschmissen und ist von zu Hause weg, *weil er das schon*
30 *lange vorhatte*. Er hat sich in Berlin als Anstreicher durchgeschlagen, hat seinen Spaß gehabt, hat Charlotte gehabt und hat beinah eine große Erfindung gemacht, *weil er das so wollte!*

Offizielle Anredefloskel für FDJ-Mitglieder

Mit inhalts- und substanzlosem Pathos reden

⌜Daß ich dabei über den Jordan ging⌝, ist echter Mist. Aber
wenn das einen tröstet: Ich hab nicht viel gemerkt. 380
Volt* sind kein Scherz, Leute. Es ging ganz schnell. Ansonsten ist Bedauern jenseits des Jordan nicht üblich. Wir alle
hier wissen, was uns blüht. Daß wir aufhören zu existieren, 5
wenn ihr aufhört, an uns zu denken. Meine Chancen sind
da wohl mau*. Bin zu jung gewesen.

»Mein Name ist Wibeau.«
»Angenehm. – Lindner, Willi.«

Salute*, Willi! Du warst zeitlebens mein bester Kumpel, tu 10
mir jetzt einen Gefallen. Fang nicht auch an, in deiner Seele
oder wo nach Schuld zu wühlen und so. Reiß dich zusammen.

»Es soll Tonbänder von Edgar geben, die er besprochen
hat? Sind sie greifbar? Ich meine, kann ich sie hören? 15
Gelegentlich?«
»Ja. Das geht.«

Die Tonbänder:
⌜kurz und gut / wilhelm / ich habe eine bekanntschaft gemacht / die mein herz näher angeht – einen engel – und 20
doch bin ich nicht imstande / dir zu sagen / wie sie vollkommen ist / warum sie vollkommen ist / genug / sie hat allen
meinen sinn gefangengenommen⌝ – ende

⌜nein / ich betrüge mich nicht – ich lese in ihren schwarzen
augen wahre teilnehmung an mir und meinem schicksal – 25
sie ist mir heilig – alle begier schweigt in ihrer gegenwart⌝ –
ende

⌜genug / wilhelm / der bräutigam ist da – glücklicherweise
war ich nicht beim empfange – das hätte mir das herz zer-
rissen⌝ – ende 30

Spannung für
Starkstrom, im
Unterschied zu
den üblichen
220 Volt

(ugs.)
schwach,
dürftig

(ital.) Prost,
Gesundheit

⌜er will mir wohl / und ich vermute / das ist lottens werk /
denn darin sind die weiber fein und haben recht / wenn sie
zwei verehrer in gutem vernehmen miteinander erhalten
können / ist der vorteil immer ihr / so selten es auch an-
geht⌝ – ende

⌜das war eine nacht – wilhelm / nun überstehe ich alles – ich
werde sie nicht wiedersehn – hier sitz ich und schnappe
nach luft / suche mich zu beruhigen / erwarte den morgen /
und mit sonnenaufgang sind die pferde⌝

⌜o meine freunde / warum der strom des genies so selten
ausbricht / so selten in hohen fluten hereinbraust und eure
staunende seele erschüttert – liebe freunde / da wohnen die
gelassenen herren auf beiden seiten des ufers / denen ihre
gartenhäuschen / tulpenbeete und krautfelder zugrunde
gehen würden / die daher in zeiten mit dämmen und ablei-
ten der künftig drohenden gefahr abzuwenden wissen – das
alles / wilhelm / macht mich stumm – ich kehre in mich
selbst zurück und finde eine welt⌝ – ende.

⌜und daran seid ihr alle schuld / die ihr mich in das joch
geschwatzt und mir so viel von aktivität vorgesungen habt –
aktivität – ich habe meine entlassung verlangt – bringe das
meiner mutter in einem säftchen bei⌝ – ende

»Verstehn Sie's?«
»Nein. Nichts . . .«

Könnt ihr auch nicht. Kann keiner, nehme ich an. Ich hatte
das aus dieser alten Schwarte oder Heft. ⌜Reclamheft⌝. Ich
kann nicht mal sagen, wie es hieß. Das olle* Titelblatt ging   (niederdt.,
flöten auf dem ollen Klo von Willis Laube. Das ganze Ding   Jargon) alt
war in diesem unmöglichen Stil geschrieben.

Verschlüsselte
Geheim-
sprache, die
sich schema-
tisch auflösen
lässt

»Ich denke manchmal – ein Code*.«

»Für einen Code hat es zuviel Sinn.
Ausgedacht hört es sich auch wieder nicht an.«

»Bei Ed wußte man nie. Der dachte sich noch ganz andere Sachen aus. Ganze Songs zum Beispiel. Text *und* 5
Melodie! Irgendein Instrument, das er nach zwei Tagen
nicht spielen konnte, gab's überhaupt nicht. Oder nach
einer Woche, von mir aus. Er konnte Rechenmaschinen
aus Pappe baun, die funktionieren heute noch. Aber die
meiste Zeit haben wir gemalt.« 10

»Edgar hat gemalt? – Was waren das für Bilder?«

»Immer DIN A 2.«

»Ich meine: was für ⌜Motive⌝? Oder kann man welche
sehen?«

»Nicht möglich. Die hatte er alle bei sich. Und ›Motive‹ 15
kann man nicht sagen. Wir malten durchweg ⌜abstrakt⌝.
Eins hieß Physik. Und: Chemie. Oder: Hirn eines Mathematikers. Bloß, seine Mutter war dagegen. Ed sollte
erst einen ›ordentlichen Beruf‹ haben. Ed hatte ziemlich
viel Ärger deswegen, wenn Sie das interessiert. Aber am 20
sauersten war er immer, wenn er rauskriegte, daß sie,
also seine Mutter, mal wieder eine Karte von seinem
Erzeuger . . . , ich meine: von seinem Vater . . . , ich meine: von Ihnen zurückgehalten hatte. Das kam hin und
wieder vor. Dann war er immer ungeheuer sauer.« 25

Das stimmt. Das stank mich immer fast gar nicht an.
Schließlich gab es immer noch so was wie ein Briefgeheimnis, und die Karten waren eindeutig an mich. An Herrn
Edgar Wibeau, den ollen Hugenotten. Jeder Blöde hätte
gemerkt, daß ich eben nichts wissen sollte über meinen 30
Erzeuger, diesen ⌜Schlamper⌝, der soff und der es ewig mit
Weibern hatte. Der schwarze Mann von Mittenberg. Der
mit seiner Malerei, die kein Mensch verstand, was natürlich allemal an der Malerei lag.

»Und deswegen ging Edgar weg, glauben Sie?«

»Ich weiß nicht . . . Jedenfalls, was die meisten denken, Ed ging weg wegen dieser Sache mit Flemming, das ist Quatsch. Warum er das gemacht hat, versteh ich zwar auch nicht. Ed hatte nichts auszustehen. Er war Chef in allen Fächern, ohne zu pauken. Und er hielt sich sonst immer aus allem raus. Ärger gab es bei uns öfter. Viele sagten: Muttersöhnchen. Natürlich nicht öffentlich. Ed war ein kleiner Stier. Oder er hätte es überhört. Beispielsweise das mit den Miniröcken. Die Weiber, ich meine: die Mädchen aus unserer Klasse, sie konnten es nicht bleibenlassen, in diesen Miniröcken in der Werkstatt aufzukreuzen, zur Arbeit. Um den Ausbildern was zu zeigen. X-mal hatten sie das schon verboten. Das stank uns dann so an, daß wir mal, alle Jungs, eines Morgens in Miniröcken zur Arbeit antraten. Das war eine ziemliche Superschau. Ed hielt sich da raus. Das war ihm wohl auch zu albern.«

Leider hatte ich nichts gegen kurze Röcke. Man kommt morgens völlig vertrieft* aus dem ollen Bett, sieht die erste Frau am Fenster, schon lebt man etwas. Ansonsten kann sich von mir aus jeder anziehen, wie er will. Trotzdem war die Sache ein echter Jux. Hätte von mir sein können, die Idee. Rausgehalten hab ich mich einfach, weil ich Muttern keinen Ärger machen wollte. Das war wirklich ein großer Fehler von mir: Ich wollte ihr nie Ärger machen. Ich war überhaupt daran gewöhnt, nie jemand Ärger zu machen. Auf die Art muß man sich dann jeden Spaß verkneifen. Das konnte einen langsam anstinken. Ich weiß nicht, ob mich einer versteht. Damit sind wir beim Thema, weshalb ich zu Hause kündigte. Ich hatte einfach genug davon, als lebender Beweis dafür rumzulaufen, daß man einen Jungen auch *sehr* gut ohne Vater erziehen kann. Das sollte es doch sein. An einem Tag war ich mal auf den blöden Gedanken ge-

verschlafen

kommen, was gewesen wäre, wenn ich plötzlich abkratzen müßte, schwarze Pocken oder was. Ich meine, was ich dann vom Leben gehabt hätte. Den Gedanken wurde ich einfach nicht mehr los.

»Wenn Sie mich fragen – Ed ging weg, weil er Maler werden wollte. Das war der Grund. Mist war bloß, daß sie ihn an der Kunsthochschule ablehnten in Berlin.«
»Warum?«
»Ed sagte: Unbegabt. Phantasielos. Er war ziemlich sauer.«

War ich! Aber *Fakt* war, daß meine gesammelten Werke nicht die Bohne was taugten. Weshalb malten wir denn die ganze Zeit abstrakt? – Weil ich Idiot nie im Leben was Echtes malen konnte, daß man es wiedererkannt hätte, einen ollen Hund oder was. Ich glaube, das mit der ganzen Malerei war eine echte Idiotie von mir. Trotzdem war die Szene an sich nicht schlecht, wie ich da in diese Hochschule klotzte und gleich rein in das Zimmer von diesem Professor und wie ich ihm meine gesammelten Werke knallhart auf den Tisch blätterte.
Er fragte erst mal: Wie lange machen Sie das schon?
Ich: Weiß nicht! Schon lange.
Ich sah ihn nicht mal an dabei.
Er: Haben Sie einen Beruf?
Ich: Nicht daß ich wüßte. Wozu auch?
Mindestens da hätte er mich rausschmeißen müssen! Aber der Mann war hart. Er blieb bei der Stange!
Er: Hat das irgendeine Ordnung? Was ist das letzte, was das erste?
Er meinte meine Ausstellung auf seinem Tisch.
Ich: Die frühen Sachen liegen links.
Die frühen Sachen! Leute! Das hatte ich gut drauf. Das war ein Tiefschlag.

Er: Wie alt sind Sie?
Der Kerl war wirklich hart!
Ich nuschelte: Neunzehn!
Ich weiß nicht, ob er mir das glaubte.
5 Er: Phantasie haben Sie. Das ist keine Frage, überhaupt
keine, und zeichnen können Sie auch. Wenn Sie einen Beruf
hätten, würde ich sagen: technischer Zeichner.
Ich fing an, meine Blätter einzupacken.
Er: Ich kann mich auch irren. Lassen Sie uns Ihre Sachen
10 für ein paar Tage hier. Vier oder sechs Augen sehen bekanntlich mehr als zwei.
Ich packte ein. Eisern. Ein verkannteres Genie als mich
hatte es noch nie gegeben.

»Trotzdem seid ihr in Berlin geblieben?«
15 »Ed – ich nicht. Ich konnte das nicht. Aber ich hab ihm
noch zugeredet. Theoretisch war das auch richtig.
Schließlich kann einer nirgends so gut untertauchen wie
in Berlin und sich einen Namen machen. Ich meine, ich
hab ihm nicht etwa gesagt, bleib hier oder so. Auf die
20 Art kam man an Ed nicht ran. Wir hatten in Berlin eine
Laube. Wir kamen aus Berlin, als Vater hierher versetzt
wurde. Die Laube wurden wir nicht los, da sollten angeblich sofort Neubauten hin. Ich hatte für alle Fälle den
Schlüssel. Diese Bude war noch ganz gut in Schuß. Wir
25 nahmen sie also in Augenschein, und ich redete die ganze Zeit dagegen. Daß das Dach hin ist. Daß einer die
ollen Decken vom Sofa geklaut hätte. Unsere alten Mö-
bel waren da drin, wie das so ist. Und daß die Laube
eben auf Abriß steht, wegen dieser Neubauten. Ed biß
30 sich denn auch immer mehr fest. Er packte seine Sachen
aus. Was heißt Sachen? Mehr als die Bilder hatte er
eigentlich nicht, nur, was er auf dem Leib hatte. Seine
Rupfenjacke*, die hatte er sich selber genäht, mit Kup-
ferdraht, und seine alten Jeans.«

Aus diversen
Flicken zusam-
mengesetztes
Kleidungsstück

Natürlich Jeans! Oder kann sich einer ein Leben ohne Jeans vorstellen? Jeans sind die edelsten Hosen der Welt. Dafür verzichte ich doch auf die ganzen synthetischen Lappen aus der ⌈Jumo⌉, die ewig tiffig* aussehen. Für Jeans konnte ich überhaupt auf alles verzichten, außer der *schönsten Sache* vielleicht. Und außer Musik. Ich meine jetzt nicht irgendeinen ⌈Händelsohn Bacholdy⌉, sondern echte Musik, Leute. Ich hatte nichts gegen Bacholdy oder einen, aber sie rissen mich nicht gerade vom Hocker. Ich meine natürlich echte Jeans. Es gibt ja auch einen Haufen Plunder, der bloß so tut wie echte Jeans. Dafür lieber gar keine Hosen. Echte Jeans dürfen zum Beispiel keinen Reißverschluß haben vorn. Es gibt ja überhaupt nur eine Sorte echte Jeans. Wer echter Jeansträger ist, weiß, welche ich meine. Was nicht heißt, daß jeder, der echte Jeans trägt, auch echter Jeansträger ist. Die meisten wissen gar nicht, was sie da auf dem Leib haben. Es tötete mich immer fast gar nicht, wenn ich so einen fünfundzwanzigjährigen Knacker mit Jeans sah, die er sich über seine verfetteten Hüften gezwängt hatte und in der Taille zugeschnürt. Dabei sind Jeans Hüfthosen, das heißt Hosen, die einem von der Hüfte rutschen, wenn sie nicht eng genug sind und einfach durch Reibungswiderstand obenbleiben. Dazu darf man natürlich keine fetten Hüften haben und einen fetten Arsch schon gar nicht, weil sie sonst nicht zugehen im Bund. Das kapiert einer mit fünfundzwanzig schon nicht mehr. Das ist, wie wenn einer dem Abzeichen nach Kommunist ist und zu Hause seine Frau prügelt. Ich meine, ⌈Jeans sind eine Einstellung und keine Hosen⌉. Ich hab überhaupt manchmal gedacht, man dürfte nicht älter werden als siebzehn – achtzehn. Danach fängt es mit dem Beruf an oder mit irgendeinem Studium oder mit der Armee, und dann ist mit keinem mehr zu reden. Ich hab jedenfalls keinen gekannt. Vielleicht versteht mich keiner. Dann zieht man eben Jeans an, die einem nicht mehr zustehen. Edel ist

Hier: spießig-
ordentlich,
erbärmlich

wieder, wenn einer auf Rente ist und trägt dann Jeans, mit Bauch und Hosenträgern. Das ist wieder edel. Ich hab aber keinen gekannt, außer Zaremba. Zaremba war edel. Der hätte welche tragen können, wenn er gewollt hätte, und es hätte keinen angestunken.

»Ed wollte sogar, daß ich dableiben sollte. ›Wir kommen durch!‹ sagte er. Aber das war nicht geplant, und ich konnte es auch nicht. Ed konnte das, ich nicht. Ich wollte schon, aber ich konnte nicht.

Ed sagte dann noch: Zu Hause sag: Ich lebe, und damit gut. Das war das letzte, was ich von ihm hörte. Ich bin dann zurückgefahren.«

Du bist in Ordnung, Willi. Du kannst so bleiben. Du bist ein Steher. Ich bin zufrieden mit dir. Wenn ich ein Testament gemacht hätte, hätte ich dich zu meinem Alleinerben gemacht. Vielleicht hab ich dich immer unterschätzt. Wie du mir die Laube eingeredet hast, war sauber. Aber ich hab es auch nicht ehrlich gemeint, daß du dableiben solltest. Ich meine, ehrlich schon. Wir wären gut gefahren zusammen. Aber wirklich ehrlich nicht. Wenn einer sein Leben lang nie echt allein gewesen ist und er *hat* plötzlich die Chance, dann ist er vielleicht nicht ganz ehrlich. Ich hoffe, du hast es nicht gemerkt. Wenn doch, vergiß es. Als du weg warst, kam ich jedenfalls noch in eine ganz verrückte Stimmung. Erst wollte ich einfach pennen gehen, ganz automatisch. Meine Zeit war ran. Dann fing ich erst an zu begreifen, daß ich ab jetzt machen konnte, wozu ich Lust hatte. Daß mir keiner mehr reinreden konnte. Daß ich mir nicht mal mehr die Hände zu waschen brauchte vorm Essen, wenn ich nicht wollte. Essen hätte ich eigentlich müssen, aber ich hatte nicht *so* viel Hunger. Ich verstreute also zunächst mal meine sämtlichen ⌜Plünnen und Rapeiken⌝ möglichst systemlos im Raum. Die Socken auf den Tisch. Das war der

Clou. Dann griff ich zum Mikro, warf den Recorder an und fing mit einer meiner Privatsendungen an: Damen und Herren! Kumpels und Kumpelinen! Gerechte und Ungerechte! Entspannt euch! Scheucht eure kleinen Geschwister ins Kino! Sperrt eure Eltern in die Speisekammer! Hier ist wieder euer Eddie, der Unverwüstliche . . .
Ich fing meinen Bluejeans-Song an, den ich vor drei Jahren gemacht hatte und der jedes Jahr besser wurde.

> Oh, Bluejeans
> White Jeans? – No
> Black Jeans? – No
> Blue Jeans, oh
> Oh, Bluejeans, jeah
>
> Oh, Bluejeans
> Old Jeans? – No
> New Jeans? – No
> Blue Jeans, oh
> Oh, Bluejeans, jeah

Vielleicht kann sich das einer vorstellen. Das alles in diesem ganz satten Sound, in *seinem* Stil eben. Manche halten *ihn* für tot. Das ist völliger Humbug. ⌜Satchmo⌝ ist überhaupt nicht totzukriegen, weil der Jazz nicht totzukriegen ist. Ich glaube, ich hatte diesen Song vorher nie so gut draufgehabt. Anschließend fühlte ich mich wie ⌜Robinson Crusoe⌝ und Satchmo auf einmal. Robinson Satchmo. Ich Idiot pinnte meine gesammelten Werke an die Wand. Immerhin wußte so jeder gleich Bescheid: Hier wohnt das verkannte Genie Edgar Wibeau. Ich war vielleicht ein Idiot, Leute! Aber ich war echt high. Ich wußte nicht, was ich zuerst machen sollte. An sich wollte ich gleich in die Stadt fahren und mir Berlin beschnarchen, das ganze Nachtleben und das und ins Hugenottenmuseum gehen. Ich sagte wohl

schon, daß ich väterlicherseits Hugenotte war. Ich nahm stark an, daß ich in Berlin Hinweise auf die Familie Wibeau finden würde. Ich glaube, ich Idiot hatte die Hoffnung, das wären vielleicht Adlige gewesen. Edgar de Wibeau und so.
5 Aber ich sagte mir, daß um die Zeit wohl kein Museum mehr offenhaben würde. Ich wußte auch nicht, wo es war. Ich analysierte mich kurz und stellte fest, daß ich eigentlich lesen wollte, und zwar wenigstens bis gegen Morgen. Dann wollte ich bis Mittag pennen und dann sehen, wie der Hase
10 läuft in Berlin. Überhaupt wollte ich es so machen: bis Mittag schlafen und dann bis Mitternacht leben. Ich wurde sowieso im Leben nie vor Mittag wirklich munter. Mein Problem war bloß: Ich hatte keinen Stoff. – Ich hoffe, es denkt jetzt keiner, ich meine Hasch und das Opium. Ich
15 hatte nichts gegen Hasch. Ich kannte zwar keinen. Aber ich glaube, ich Idiot wäre so idiotisch gewesen, welchen zu nehmen, wenn ich irgendwo hätte welchen aufreißen können. Aus purer Neugierde. Old Willi und ich hatten seinerzeit ein halbes Jahr Bananenschalen gesammelt und sie
20 getrocknet. Das soll etwa so gut wie Hasch sein. Ich hab nicht die Bohne was gemerkt, außer daß mir die Spucke den ganzen Hals zuklebte. Wir legten uns auf den Teppich, ließen den Recorder laufen und rauchten diese Schalen. Als nichts passierte, fing ich an die Augen zu verdrehen und
25 verzückt zu lächeln und ungeheuer rumzuspinnen, als wenn ich sonstwie high wäre. Als Old Willi das sah, fing er auch an, aber ich bin überzeugt, bei ihm spielte sich genausowenig ab wie bei mir. Ich bin übrigens nie wieder auf den Bananenstoff und solchen Mist zurückgekommen, über-
30 haupt auf keinen Stoff. Was ich also meine, ist: ich hatte keinen Lesestoff. Oder denkt einer, ich hätte vielleicht Bücher mitgeschleppt? Nicht mal meine Lieblingsbücher. Ich dachte, ich wollte nicht Sachen von früher mit rumschleppen. Außerdem kannte ich die zwei Bücher so gut wie aus-
35 wendig. Meine Meinung zu Büchern war: Alle Bücher

kann kein Mensch lesen, nicht mal alle sehr guten. Folglich
konzentrierte ich mich auf zwei. Sowieso sind meiner Meinung nach in jedem Buch fast *alle* Bücher. Ich weiß nicht,
ob mich einer versteht. Ich meine, um ein Buch zu schreiben, muß einer ein paar tausend Stück andere gelesen ha- 5
ben. Ich kann's mir jedenfalls nicht anders vorstellen. Sagen wir: dreitausend. Und jedes davon hat einer verfaßt,
der selber dreitausend gelesen hat. Kein Mensch weiß, wie-
viel Bücher es gibt. Aber bei dieser einfachen Rechnung
kommen schon . . .zig Milliarden und das mal zwei raus. 10
Ich fand, das reicht. Meine zwei Lieblingsbücher waren:
Robinson Crusoe. Jetzt wird vielleicht einer grinsen. Ich
hätte das nie im Leben zugegeben. Das andere war von
diesem ⌜Salinger⌝. Ich hatte es durch puren Zufall in die
Klauen gekriegt. Kein Mensch kannte das. Ich meine: kein 15
Mensch hatte es mir empfohlen oder so. Bloß gut. Ich hätte
es dann nie angefaßt. Meine Erfahrungen mit empfohlenen
Büchern waren hervorragend mies. Ich Idiot war so verrückt, daß ich ein empfohlenes Buch blöd fand, selbst wenn
es gut war. Trotzdem werd ich jetzt noch blaß, wenn ich 20
denke, ich hätte dieses Buch vielleicht nie in die Finger gekriegt. Dieser Salinger ist ein edler Kerl. Wie er da in diesem
nassen New York rumkraucht und nicht nach Hause kann,
weil er von dieser Schule abgehauen ist, wo sie ihn sowieso
exen wollten, das ging mir immer ungeheuer an die Nieren. 25
Wenn ich seine Adresse gewußt hätte, hätte ich ihm geschrieben, er soll zu uns rüberkommen. Er muß genau in
meinem Alter gewesen sein. Mittenberg war natürlich ein
Nest gegen New York, aber erholt hätte er sich hervorragend bei uns. Vor allem hätten wir seine blöden sexuellen 30
Probleme beseitigt. Das ist vielleicht das einzige, was ich an
Salinger nie verstanden habe. Das sagt sich vielleicht leicht
für einen, der nie sexuelle Probleme hatte. Ich kann nur
jedem sagen, der diese Schwierigkeiten hat, er soll sich eine
Freundin anschaffen. Das ist der einzige Weg. Ich meine 35

jetzt nicht, irgendeine. Das nie. Aber wenn man zum Beispiel merkt, eine lacht über dieselben Sachen wie man
selbst. Das ist schon immer ein sicheres Zeichen, Leute. Ich
hätte Salinger sofort wenigstens zwei in Mittenberg sagen
können, die über dieselben Sachen gelacht hätten wie er.
Und wenn nicht, dann hätten wir sie dazu gebracht.
Wenn ich gewollt hätte, hätte ich mich hinhauen können
und das ganze Buch trocken lesen können oder auch den
Crusoe. Ich meine: ich konnte sie im Kopf lesen. Das war
meine Methode zu Hause, wenn ich einer gewissen Frau
Wibeau mal wieder keinen Ärger machen wollte. Aber darauf war ich schließlich nicht mehr angewiesen. Ich fing an,
Willis Laube nach was Lesbarem durchzukramen. Du
Scheiße! Seine Alten mußten plötzlich zu Wohlstand gekommen sein. Das gesamte alte Möblement einer Vierzim-
merwohnung hatten sie hier gestapelt, mit allem Drum und
Dran. Aber kein lumpiges Buch, nicht mal ein Stück Zeitung. Überhaupt kein Papier. Auch nicht in dem Loch von
Küche. Eine komplette Einrichtung, aber kein Buch. Willis
alte Leute mußten ungeheuer an ihren Büchern gehangen
haben. In dem Moment fühlte ich mich unwohl. Der Garten war dunkel wie ein Loch. Ich rannte mir fast überhaupt
nicht meine olle Birne an der Pumpe und an den Bäumen da
ein, bis ich das ⌐Plumpsklo⌐ fand. An sich wollte ich mich
bloß verflüssigen, aber wie immer breitete sich das Gerücht
davon in meinen gesamten Därmen aus. Das war ein echtes
Leiden von mir. Zeitlebens konnte ich die beiden Geschichten nicht auseinanderhalten. Wenn ich mich verflüssigen
mußte, mußte ich auch immer ein Ei legen, da half nichts.
Und kein Papier, Leute. Ich fummelte wie ein Irrer in dem
ganzen Klo rum. Und dabei kriegte ich dann dieses be-
rühmte Buch oder Heft in die Klauen. Um irgendwas zu
erkennen, war es zu dunkel. Ich opferte also zunächst die
Deckel, dann die Titelseite und dann die letzten Seiten, wo
erfahrungsgemäß das Nachwort steht, das sowieso kein

Aas liest. Bei Licht stellte ich fest, daß ich tatsächlich völlig exakt gearbeitet hatte. Vorher legte ich aber noch eine Gedenkminute ein. Immerhin war ich soeben den letzten Rest von Mittenberg losgeworden. Nach zwei Seiten schoß ich den Vogel in die Ecke. Leute, das konnte wirklich kein Schwein lesen. Beim besten Willen nicht. Fünf Minuten später hatte ich den Vogel wieder in der Hand. Entweder ich wollte bis früh lesen oder nicht. Das war meine Art. Drei Stunden später hatte ich es hinter mir.

Ich war fast gar nicht sauer! Der Kerl in dem Buch, dieser Werther, wie er hieß, macht am Schluß Selbstmord. Gibt einfach den Löffel ab. Schießt sich ein Loch in seine olle Birne, weil er die Frau nicht kriegen kann, die er haben will, und tut sich ungeheuer leid dabei. Wenn er nicht völlig verblödet war, mußte er doch sehen, daß sie nur darauf wartete, daß er was *machte*, diese Charlotte. Ich meine, wenn ich mit einer Frau allein im Zimmer bin und wenn ich weiß, vor einer halben Stunde oder so kommt keiner da rein, Leute, dann versuch ich doch *alles*. Kann sein, ich handle mir ein paar Schellen ein, na und? Immer noch besser als eine verpaßte Gelegenheit. Außerdem gibt es höchstens in zwei von zehn Fällen Schellen. Das ist Tatsache. Und dieser Werther war . . . zigmal mit ihr allein. Schon in diesem Park. Und was macht er? Er sieht ruhig zu, wie sie heiratet. Und dann murkst er sich ab. Dem war nicht zu helfen.

Wirklich leid tat mir bloß die Frau. Jetzt saß sie mit ihrem Mann da, diesem ⌐Kissenpuper⌐. Wenigstens daran hätte Werther denken müssen. Und dann: Nehmen wir mal an, an die Frau wäre wirklich kein Rankommen gewesen. Das war noch lange kein Grund, sich zu durchlöchern. Er hatte doch ein Pferd! Da wär ich doch wie nichts in die Wälder. Davon gab's doch damals noch genug. Und Kumpels hätte er eins zu tausend massenweise gefunden. Zum Beispiel ⌐Thomas Müntzer⌐ oder wen. Das war nichts Reelles. Rei-

ner Mist. Außerdem dieser Stil. Das wimmelte nur so von Herz und Seele und Glück und Tränen. Ich kann mir nicht vorstellen, daß welche so geredet haben sollen, auch nicht vor drei Jahrhunderten. Der ganze Apparat bestand aus
5 lauter Briefen, von diesem unmöglichen Werther an seinen Kumpel zu Hause. Das sollte wahrscheinlich ungeheuer originell wirken oder unausgedacht. Der das geschrieben hat, soll sich mal meinen Salinger durchlesen. *Das* ist echt, Leute!
10 Ich kann euch nur raten, ihn zu lesen, wenn ihr ihn irgendwo aufreißen könnt. Reißt euch das Ding unter den Nagel, wenn ihr es bei irgendwem stehen seht, und gebt es nicht wieder her! Leiht es euch aus und gebt es nicht wieder zurück. Ihr sagt einfach, ihr habt es verloren. Das kostet fünf
15 Mark, na und? Laßt euch nicht etwa vom Titel täuschen. Ich gebe zu, er popt nicht besonders, vielleicht ist er schlecht übersetzt, aber egal. Oder ihr seht euch den ⌐Film⌐ an. Das heißt, ich weiß nicht genau, ob es einen Film danach gibt. Es ging mir damit wie mit Robinson. Ich sah
20 alles ganz genau vor mir, jedes Bild. Ich weiß nicht, ob das einer kennt. Man sieht alles so genau vor sich, als wenn man es im Film gesehen hat, und dann stellt sich heraus, es gibt überhaupt keinen Film. Aber wenn es tatsächlich keinen Salinger-Film gibt, kann ich jedem Regisseur nur raten,
25 einen zu drehen. Er hat den Erfolg schon in der Tasche. Ich weiß zwar nicht, ob ich selbst hingegangen wäre. Ich glaube, ich hätte Schiß gehabt, mir meinen eigenen Film kaputtmachen zu lassen. Ich war zeitlebens überhaupt kein großer Kinofan. Wenn es nicht gerade ⌐Chaplin⌐ gab oder
30 etwas in der Art, diese überdrehten ⌐Melonenfilme⌐, wo die Bullen in ihren idiotischen Tropenhelmen immer so herrlich verarscht werden, hättet ihr mich in jedem Kino suchen können. Oder »Junge Dornen«* mit Sidney Poitier, vielleicht kennt den einer. Den hätte ich mir jeden Tag an-
35 sehen können. Ich rede jetzt natürlich nicht von diesen

Sozialkritischer Film aus dem Schulmilieu (USA 1966)

Pflichtfilmen für den Geschichtsunterricht. Da mußte einer hin. Die standen im Lehrplan. Ich ging da übrigens gern hin. Man kriegte in einer Stunde mit, wozu man sonst ewig und drei Tage im Geschichtsbuch rumlesen mußte. Ich fand immer, das war ein praktisches Verfahren. Ich hätte gern mal einen gesprochen, der solche Filme macht. Ich hätte ihm gesagt: Weiter so. Ich finde, solche Leute muß man ermuntern. Sie sparen einem viel Zeit. Ich war zwar mit jemand vom Film bekannt, es war zwar kein Regisseur, der Mann schrieb die Bücher, aber ich glaube, kaum für solche Geschichtsfilme.

Er grinste bloß, als ich ihm meine Meinung dazu sagte. Ich konnte ihm nicht klarmachen, daß ich es ernst damit meinte. Ich lernte ihn kennen, als sie uns eines Tages von der Berufsschule in einen Film scheuchten, zu dem er das Buch geliefert hatte. Anschließend: Gespräch mit den Schöpfern. Aber nun nicht jeder, der wollte, sondern nur die Besten, die Vorbilder – als Auszeichnung. Die ganze Show fand nämlich während des Unterrichts statt. Und vorneweg natürlich Edgar Wibeau, dieser intelligente, gebildete, disziplinierte Junge. Unser Prachtstück! Und all die anderen Prachtstücke aus den anderen Lehrjahren, pro Lehrjahr immer zwei.

Der Film spielte heute. Ich will nicht viel darüber sagen. Freiwillig wär ich nie da reingegangen, oder höchstens, weil meine ⌜M.S.-Jungs⌝ die Musik gemacht hatten. Ich nehme an, sie wollten ins Filmgeschäft kommen. Es ging um so einen Typ, der aus dem Bau kam und jetzt ein neues Leben anfangen wollte. Bis dahin hatte er wohl ziemlich quer gelegen, ich meine politisch, und der Bau hatte daran auch nicht viel geändert. Sein Delikt war Körperverletzung, er hatte so einem Veteranen eine angesetzt, weil der ihn gereizt hatte in Fragen zu lauter und zu scharfer Musik. Gleich nach dem Bau kam er ins Krankenhaus, ich glaube, wegen Gelbsucht, jedenfalls durfte ihn keiner besuchen. Er

hatte auch niemand. Aber im Krankenhaus, auf seinem Zimmer, lag so ein Agitator oder was das sein sollte. Jedenfalls redete er so. Als ich das sah, wußte ich sofort, was kam. Der Mann würde so lange auf ihn losreden, bis er
5 alles einsah, und dann würden sie ihn hervorragend einreihen. Und so kam es dann auch. Er kam in eine prachtvolle ⌜Brigade⌝ mit einem prachtvollen Brigadier, lernte eine prachtvolle Studentin kennen, deren Eltern waren zwar zuerst dagegen, wurden dann aber noch ganz prachtvoll,
10 als sie sahen, was für ein prachtvoller Junge er doch geworden war, und zuletzt durfte er dann auch noch zur Fahne*. Ich weiß nicht, wer diesen prachtvollen Film gesehen hat, Leute. Das einzige, was mich noch interessierte außer der Musik, war dieser Bruder da von dem Helden. Er
15 schleppte ihn überall mit hin, weil er auch eingereiht werden sollte. Sie waren nämlich immerzu auf der Suche nach diesem Agitator. Das sollte wohl rührend sein oder was. Der Bruder ließ sich auch mitschleppen, die Reiserei machte ihm zum Teil sogar Spaß, und diese prachtvolle Studen-
20 tin konnte ihm auch was sein und er ihr auch, ich dachte an einer Stelle sogar, noch ein Wort und er kriegt sie rum, wenn er will. Jedenfalls wurde sie mir von dem Moment an gleich viel sympathischer. Alles das machte er mit, aber einreihen ließ er sich deswegen noch lange nicht. Er wollte
25 Clown im Zirkus werden, und das ließ er sich nicht ausreden. Sie sagten, er will sich bloß rumtreiben, statt einen ordentlichen Beruf zu lernen. Einen ordentlichen Beruf, Leute, das kannte ich! Natürlich wollte er unter anderem zum Zirkus, weil er da die Welt sehen konnte, jedenfalls ein
30 Stück. Na und? Ich verstand ihn völlig. Ich verstand nicht, was daran schlecht sein sollte. Ich glaube, die meisten wollen die Welt sehen. Wer von sich behauptet: nein – der lügt. Ich stieg immer sofort aus, wenn einer behauptete, Mittenberg, das sollte schon die Welt sein. Und dieser Bruder stieg
35 eben auch aus.

* Salopp für: zur Nationalen Volksarmee einberufen werden

Langsam interessierte mich der Mann, der das verfaßt hatte. Ich beobachtete ihn die ganze Zeit, in der wir da im Lehrerzimmer saßen und erzählten, wie hervorragend wir den Film gefunden hätten und was wir alles daraus lernen könnten. Erst sagten alle anwesenden Lehrer und Ausbilder, was wir daraus zu lernen haben, und dann sagten wir, was wir daraus gelernt hatten. Der Mann sagte die ganze Zeit kein Wort. Er sah ganz so aus, als wenn ihn diese ganze Show mit uns Musterknaben ungeheuer anödete. Danach fand für die Filmschöpfer ein Rundgang durch die ganzen Werkstätten von uns statt und das. Bei der Gelegenheit schmissen wir uns an den Mann ran, ich und Old Willi. Wir hängten uns an ihn ran und blieben mit ihm zurück. Ich hatte das Gefühl, daß er uns zunächst ganz dankbar war dafür. Dann sagte ich ihm meine eigentliche Meinung. Ich sagte ihm, daß ein Film, in dem die Leute in einer Tour lernen und gebessert werden, nur öde sein kann. Daß dann jeder gleich sieht, was er daraus lernen soll, und daß kein Aas Lust hat, wenn er den ganzen Tag über gelernt hat, auch abends im Kino noch zu lernen, wenn er denkt, er kann sich amüsieren. Er sagte, daß er sich das schon immer gedacht hätte, aber daß es nicht anders gegangen wäre. Ich riet ihm, dann einfach die Finger davon zu lassen und lieber diese Geschichtsfilme zu machen, bei denen jeder von vornherein weiß, daß sie nicht zum Amüsieren sind. Da sah er zu, daß er wieder Anschluß kriegte an seine Leute, die sich da von Flemming unsere hervorragende Ausbildung erklären ließen. Wir ließen ihn laufen. Ich hatte sowieso das Gefühl, daß er eine unwahrscheinliche Wut im Bauch hatte auf irgendwas an dem Tag oder überhaupt. Ich bedaure bloß, daß ich seine Adresse nicht hatte. Vielleicht war es in Berlin, dann hätte ich ihn besucht, und er hätte kaum abhauen können.

»Wohnt hier im Haus eine Familie Schmidt?«
»Zu wem wollen Sie da?«
»Zu Frau Schmidt.«
»Das bin ich. Da haben Sie Glück.«
»Ja. Mein Name ist Wibeau. Der Vater von Edgar.«
»Wie haben Sie mich gefunden?«
»Das war nicht ganz einfach.«
»Ich meine: Woher wußten Sie von mir?«
»Durch die Tonbänder. Edgar hat Tonbänder nach Mit-
tenberg geschickt, wie Briefe.«
»Davon wußte ich nichts. Und da ist was von mir
drauf?«
»Wenig. Daß sie Charlotte heißen und verheiratet sind.
Und daß sie schwarze Augen haben.«

Bleib ruhig, Charlie. Ich hab nichts gesagt. Kein Wort.

»Wieso Charlotte? Ich heiß doch nicht Charlotte!«
»Ich weiß nicht. Warum weinen Sie? Weinen Sie doch
nicht.«

Heul doch nicht, Charlie. Laß den Quatsch. Das ist doch
kein Grund zum Heulen. Ich hatte den Namen aus dem
blöden Buch

»Entschuldigen Sie! Edgar war ein Idiot. Edgar war ein
verbohrter, vernagelter Idiot. Ihm war nicht zu helfen.
Entschuldigen Sie!«

Das stimmt. Ich war ein Idiot. Mann, war ich ein Idiot.
Aber hör auf zu heulen. Ich glaube, keiner kann sich vorstellen, was ich für ein Idiot war.

»Ich war eigentlich gekommen, weil Sie vielleicht ein
Bild haben, das er gemacht hat.«

»Edgar konnte überhaupt nicht malen. Das war auch so eine Idiotie von ihm. Jeder sah das, aber er ließ sich das nicht beweisen. Und wenn man es ihm auf den Kopf zusagte, faselte er irgendwelches Zeug, aus dem keiner schlau wurde. Wahrscheinlich nicht mal er selbst.« 5

So fand ich dich immer am besten, Charlie, wenn du so in Fahrt warst. Aber daß jeder gleich gesehen hat, daß ich nicht malen konnte, ist trotzdem nicht ganz korrekt. Ich meine, er hat es vielleicht gesehen, aber ich hatte es hervorragend drauf, so zu tun, als wenn ich könnte. Das ist 10 überhaupt eine der schärfsten Sachen, Leute. Es kommt nicht so drauf an, daß man etwas kann, man muß es draufhaben, so zu tun. Dann läuft es. Jedenfalls bei Malerei und Kunst und diesem Zeug. Eine Zange ist gut, wenn sie kneift. Aber ein Bild oder was? Kein Aas weiß doch wirk- 15 lich, ob eins gut ist oder nicht.

»Das fing gleich am ersten Tag an. Unser Kindergarten hatte in der Laubenkolonie einen Auslauf, wie wir sagen, mit Buddelkasten, Schaukel und Wippe. Im Sommer waren wir da den ganzen Tag draußen, wenn's ging. 20 Jetzt ist da alles aufgerissen. Die Kinder stürzten sich immer förmlich in den Buddelkasten und auf das Klettergerüst in die Büsche. Die gehörten zwar zum Nachbargrundstück, aber das gehörte praktisch uns. Der Zaun stand lange nicht mehr, und wir hatten da lange 25 keinen Menschen mehr gesehen. Die ganze Kolonie war ja auf Abriß. Plötzlich sah ich da einen Menschen aus der Laube kommen, einen Kerl, ungekämmt und völlig vergammelt. Ich rief die Kinder sofort zu mir.«

Das war ich. Leute, war ich vertrieft. Ich war ganz hervor- 30 ragend vertrieft. Ich sah nichts. Ich triefte auf mein Plumpsklo und von da zu der Pumpe. Aber ich konnte das Pum-

Die neuen Leiden des jungen W.

penwasser einfach nicht anfassen. Ich hätte einen Trock-
nen machen können in jeden See. Aber das Pumpenwasser
hätte mich getötet. Ich weiß nicht, ob das einer begreift. Ich
war einfach zu früh wach geworden. Charlies Gören hatten mich wachgebrüllt.

»Das war Edgar?«
»Das war Edgar. Ich verbot den Kindern sofort, wieder
auf das Grundstück zu gehen. Aber wie sie so sind – fünf
Minuten später waren sie alle weg. Ich rief sie, und dann
sah ich: Sie waren drüben, bei Edgar. Edgar saß hinter
seiner Laube mit Malzeug und sie hinter ihm, völlig
still.«

Das stimmt. Ich war zwar nie ein großer Kinderfreund. Ich
hatte nichts gegen Kinder, aber ich war nie ein großer Kinderfreund. Sie konnten einen anöden auf die Dauer, jedenfalls mich, oder Männer überhaupt. Oder hat schon mal
einer was von einem Kinder*gärtner* gehört? Bloß es stank
mich immer fast gar nicht an, wenn einer gleich ein Wüst-
ling oder Sittenstrolch sein sollte, weil er lange Haare hatte,
keine Bügelfalten, nicht schon um fünf aufstand und sich
nicht gleich mit Pumpenwasser kalt abseifte und nicht
wußte, in welcher Lohngruppe er mit fünfzig sein würde.
Folglich fischte ich mir mein Malzeug und fläzte mich hinter meine Laube und fing an, mit dem Bleistift allerhand
Abstände anzupeilen, wie Maler das angeblich machen.
Und fünf Minuten später waren Charlies Gören vollzählig
hinter mir versammelt.

»Was malte er?«
»Eigentlich nichts. Striche. Die Kinder wollten das auch
wissen.
Edgar sagte: Mal sehn. Vielleicht 'n Baum? Da kam sofort: Wieso vielleicht? Weißt du denn nicht, was du
malst?

Und Edgar: Es kommt ganz drauf an, was heute morgen hier so drin ist. Kann man's wissen? Ein Maler muß sich erst locker malen, sonst wird der Baum zu steif, den er gerade malen will.

Sie amüsierten sich. Edgar konnte mit Kindern umgehen, aber zeichnen konnte er nicht, das sah ich sofort. Ich interessiere mich ein bißchen dafür.«

Stop mal, Charlie! Sie amüsierten sich, aber dieser Witz mit dem Baum war von dir. Ich dachte noch: So ist es immer. Einer amüsiert sich, und dann kommen diese Kindergärtnerinnen und geben eine ernste Erklärung. Dann drehte ich mich um und sah dich an. Ich dachte, mich streift ein Bus. Ich hatte dich unterschätzt. Da war glatt Ironie dabei! – Ich glaube, in dem Moment hat das Ganze angefangen, dieses Tauziehen oder was es war. Jeder wollte den anderen über den Strich ziehen. Charlie wollte mir beweisen, daß ich kein Stück malen konnte, sondern daß ich bloß ein großes Kind war, nicht so leben konnte und daß mir folglich geholfen werden mußte. Und ich wollte ihr das Gegenteil beweisen. Daß ich ein verkanntes Genie war, daß ich sehr gut so leben konnte, daß mir keiner zu helfen brauchte, und vor allem, daß ich alles andere als ein Kind war. Außerdem wollte ich sie von Anfang an haben. Rumkriegen sowieso, aber auch haben. Ich weiß nicht, ob mich einer versteht, Leute.

»Sie meinen, er konnte nicht nach der Natur zeichnen? Nicht abzeichnen?«

»Er konnte überhaupt nicht zeichnen. Warum er so tat, war auch klar: man sollte ihn für ein verkanntes Genie halten. Bloß warum das, das hab ich nie begriffen. Das war wie eine fixe Idee von ihm. Ich kam auf den Gedanken, ihn in unseren Kindergarten zu bringen und ihn dort eine Wand bemalen zu lassen. Zu verderben war nichts daran. Unser Haus stand auf Abriß. Meine Chefin hatte nichts dagegen. Ich dachte, Edgar würde sich drücken. Er kam aber. Bloß, er war ja so gerissen! Entschuldigen Sie, aber er war wirklich gerissen! Er drückte den Kindern einfach in die Hand, was an Pinseln da war, und ließ sie mit ihm zusammen malen, wozu sie Lust hatten. Ich wußte sofort, was kam. In einer halben Stunde hatten wir das schönste Fresko an der Wand. Und Edgar hatte nicht einen Strich gemacht, jedenfalls so gut wie.«

Das Ding lief großartig, ich wußte das. Ich wußte, daß kaum was passieren konnte. Kinder können einen ungeheuer anöden, aber malen können sie, daß man kaputtgeht. Wenn ich mir schon Bilder ansah, dann bin ich lieber in einen Kindergarten gegangen als in ein olles Museum. Außerdem schmieren sie sowieso gern Wände voll.
Die Kindertanten waren ganz weg. Sie fanden einfach herrlich, was ihre Kinderchen da gemacht hatten. Mir gefiel es übrigens auch. Kinder können wirklich malen, daß man kaputtgeht. Und Charlie konnte nichts machen. Die anderen delegierten sie, mir Mittagessen vorzusetzen. Wahrscheinlich hatten sie gemerkt, daß mir Charlie was sein konnte. Sie hätten auch blöd sein müssen. Ich himmelte Charlie die ganze Zeit an. Ich meine, ich himmelte sie nicht an mit Augenaufschlag und so. Das nicht, Leute. Ich hatte auch keine besonders umwerfenden Sehorgane in meinem ollen Hugenottenschädel. Richtige Schweinsritzen gegen Charlies Scheinwerfer. Aber braun. Braun popt, im Ernst.
Wieder auf meiner ⌐Kolchose⌐, hatte ich vielleicht die beste Idee zeitlebens. Jedenfalls hat sie eine Masse Jux eingebracht. Sie hat echt gepopt. Ich kriegte wieder dieses Buch in die Klauen, dieses Heft. Ich fing automatisch an zu lesen. Ich hatte Zeit, und da hatte ich die *Idee*. Ich schoß in die Bude, warf den Recorder an und diktierte an Willi:

Das hatte ich direkt aus dem Buch, auch den Wilhelm. ⌜Kurz und gut, Wilhelm, ich habe eine Bekanntschaft gemacht, die mein Herz näher angeht ... Einen Engel ... Und doch bin ich nicht imstande, dir zu sagen, wie sie vollkommen ist, warum sie vollkommen ist, genug, sie hat allen meinen Sinn gefangengenommen.⌝ Ende.

Dadurch war ich erst auf die *Idee* gekommen. Ich schaffte das Band sofort zur Post. Eine Nachricht war ich Willi sowieso schuldig. Schade war bloß, daß ich nicht sehen konnte, wie Old Willi umfiel. Der fiel bestimmt um. Der kriegte Krämpfe. Der verdrehte die Augen und fiel vom Stuhl.

»Könnte ich dieses Wandbild sehen?«

»Leider nicht. Unser Haus steht nicht mehr. Wir sind jetzt in einem Neubau. Ich hab zwar ein Bild von Edgar. Aber da ist nichts zu sehen. Es ist ein Schattenriß. Ich sag ja: Er ließ es sich nicht beweisen. Das war einen Tag später. Ich kam zu ihm. Wir wollten ihm ein Honorar zahlen. Dabei kam ich auf den Gedanken, daß er ein Bild von mir machen sollte, diesmal ohne Hilfe. Wir waren ja allein. Was machte er? – Diesen Schattenriß. Das kann schließlich jeder. Aber in seiner Laube hab ich dann seine anderen Bilder gesehen. Ich kann sie nicht beschreiben. Es war nur konfuses Zeug drauf. Das sollte wahrscheinlich abstrakt sein. Aber es war nur konfus, wirklich. Überhaupt sah es furchtbar konfus bei ihm aus. Ich meine: nicht dreckig, aber konfus und schlampig bis dorthinaus.«

Du liegst völlig richtig, Charlie. Konfus und schlampig und alles, was du willst. Erst dachte ich, mich streift ein Bus, Leute, als Charlie da in meiner Bude stand. Zum Glück war es Nachmittag, und ich war schon einigermaßen kregel*. Aber das mit dem Geld war mir gleich klar. Von wegen

munter, fit

Honorar. Das war Charlies eigenes Geld und außerdem ein Vorwand. Ich ließ ihr irgendwie keine Ruhe.

Ich zierte mich erst mal. Ich sagte: Wofür denn? Ich hab doch keinen Finger krumm gemacht!

5 Und Charlie: Trotzdem! – Ohne Ihre Anleitung wäre es nie geworden.

Da sagte ich ihr auf den Kopf zu: Das ist doch Ihr eigenes Geld. Von wegen Honorar!

Dann fiel ihr ein: Schon. Aber ich krieg's wieder. Muß erst 10 genehmigt werden von oben. Ich dachte, Sie können es brauchen.

Ich hatte zwar noch Geld, aber brauchen konnte ich's schon. Geld kann man immer brauchen, Leute. Ich nahm's trotzdem nicht. Ich begriff doch, was das heißen sollte. Das 15 sollte heißen, sie hielt mich für einen Gammler oder so. Den Gefallen tat ich ihr nicht. Anschließend hätte sie eigentlich gehen müssen. Bloß, so war Charlie nicht. Das war nicht ihre Art. Sie hatte mindestens so einen dicken Schädel wie ich. Oder Kopf. Bei Frauen soll man wohl Kopf sagen.

20 Außerdem sagte ich ihr die ganze Zeit, daß sie mir ungeheuer was sein konnte. Ich meine, ich sagte es ihr nicht wörtlich. Ich sagte eigentlich überhaupt nichts. Aber sie merkte es doch, denke ich. Und dann kam sie mit ihrer Idee mit dem Bild von ihr. Angeblich bloß so, spaßeshalber.

25 Und das sollte ich glauben! Charlie konnte vielleicht alles, aber als Schauspielerin war sie ganz mies. Das lag ihr nicht. Ich sah drei Sekunden lang ziemlich alt aus, bis ich den Einfall mit der Kerze hatte. Ich setzte Charlie auf einen ollen Hocker, verdunkelte die Bude, pinnte ein Blatt an die 30 Wand und fing an, ihren Kopf ins Licht zu drehen. Ich hätte natürlich auch die olle Kerze rücken können, aber ich war doch nicht blöd. Ich nahm ihr ganzes Kinn in die Hand und drehte ihren Kopf. Charlie schluckte zwar, aber sie machte mit. Ich machte so auf die Masche: der Maler und sein 35 Modell. Angeblich spielt sich da erotisch nichts ab, was ich

für großen Quatsch halte. Wahrscheinlich haben das die Maler rausgehauen, damit ihnen die Modelle nicht weglaufen. Bei mir jedenfalls spielte sich was ab und bei Charlie mindestens auch. Aber sie hatte keine Chance. Sie nahm bloß ihre Augen nicht weg. Diese Scheinwerfer. Ich war kurz davor, *alles* zu versuchen. Aber ich analysierte mich kurz und stellte fest, daß ich gar nicht *alles* wollte. Ich meine: ich wollte schon, bloß nicht gleich. Ich weiß nicht, ob mich einer versteht, Leute. Zum erstenmal wollte ich warten damit. Außerdem hätte es wahrscheinlich Schellen gegeben. Das bestimmt. Damals hätte es noch Schellen gegeben. Ich blieb also ganz ruhig und machte diesen ⌐Schattenriß⌐ von ihr. Als ich fertig war, fing sie sofort an: Geben Sie es mir! Für meinen Verlobten. Er ist zur Zeit bei der Armee.

Wenn jetzt einer denkt, das ging mir besonders an die Nieren oder so mit dem Verlobten, der irrt sich, Leute. Verlobt ist noch lange nicht verheiratet. Auf jeden Fall hatte Charlie begriffen, was gespielt wurde. *Das* war's doch! Sie fing an, mich ernst zu nehmen. Ich kannte das schon. Verlobte tauchen immer dann auf, wenn es ernst wird. Den Schattenriß gab ich ihr natürlich nicht. Ich nuschelte irgendwas von: Ist noch zu roh . . . Noch kein Leben drin. Als wenn da noch Leben reinzukriegen gewesen wäre. Schon weil ihre Augen nicht drin sein konnten. Und Charlies Augen waren förmlich Scheinwerfer, oder sagte ich das schon? Ich wollte ihn einfach behalten. Ich wollte ihn firnissen und für mich haben. Das brachte Charlie ziemlich auf. Sie stellte sich hin und sagte mir ins Gesicht: Sie können überhaupt nicht malen, jedenfalls nicht richtig. Das ist alles eine Ausrede für irgendwas. Sie sind auch nicht aus Berlin, das merkt man. Eine richtige Arbeit haben Sie nicht, und mit Malen verdienen Sie jedenfalls kein Geld, womit sonst, weiß ich nicht. Sie war in Fahrt gekommen!

Auch ich war nicht faul. Ich dachte kurz nach und schoß folgendes ab:

Die neuen Leiden des jungen W.

˹Es ist ein einförmiges Ding um das Menschengeschlecht. Die meisten verarbeiten den größten Teil der Zeit, um zu leben, und das bißchen, das ihnen von Freiheit übrigbleibt, ängstigt sie so, daß sie alle Mittel aufsuchen, um es loszu-
5 werden.˺
Charlie sagte gar nichts. Wahrscheinlich hatte sie kein Wort verstanden. Kein Wunder bei diesem Stil. Ich hatte das natürlich aus diesem Buch. Ich weiß nicht, ob ich schon sagte, daß ich mir Sachen aus Büchern hervorragend mer-
10 ken konnte. Das war ein wirkliches Leiden von mir. Es hatte zwar auch seine Vorteile, in der Schule zum Beispiel. Ich meine, jeder Lehrer ist doch zufrieden, wenn er einen Text hört, den er aus dem Buch kennt. Ich konnte es keinem verdenken. Brauchte er nicht nachzuprüfen, ob alles
15 stimmte, wie bei eigenen Worten. Und alle waren zufrieden.

»Irre ich mich, oder haben Sie sich mit ihm gestritten?«
»Gestritten nicht. Ich hab ihm auf den Kopf zugesagt, daß ich ihn für einen Arbeitsscheuen hielt. Ich dachte
20 beinah, er macht irgendwelche krummen Sachen. Irgendwie mußte er doch zu Geld kommen. Entschuldigen Sie! Das war natürlich Unsinn. Aber man konnte wirklich nur schwer schlau werden aus ihm.«
»Und er? Edgar?«
25 »Edgar machte, was er immer in solchen Fällen machte, nur an dem Tag zum erstenmal für mich: Er redete Blech. Ich kann es nicht anders sagen. Man konnte sich das auch nicht merken. Ein dermaßen krauses Zeug. Vielleicht nicht sinnlos, aber völlig verschroben. Von sich
30 hatte er das nicht. Wahrscheinlich aus der Bibel*, denk ich manchmal. Damit wollte er einen einfach verblüffen, das war alles.«

Mit Charlie hätte ich mir diesen Jux vielleicht nicht leisten

Meint hier die »alt« anmutende Sprache der Luther-Übersetzung sollen. Trotzdem, ihr Gesicht war nicht mit Dollars zu bezahlen.

Als nächstes fragte sie mich: Wie alt bist du eigentlich? Du! Sie sagte: du. Das sagte sie seit dem Tag immer, wenn sie mir zu verstehen geben wollte, daß sie eigentlich meine Mutter sein konnte. Dabei war sie höchstens zwei Jahre älter als ich. Ich sagte: Dreitausendsiebenhundertundsiebenundsechzig Jahre, oder waren es -sechsundsiebzig? Ich verwechsle das dieses Jahr immer. Danach ging sie. Ich gebe zu, daß mich diese Frage immer fast gar nicht anstank. Auch bei einer Frau, die mir was sein konnte. Das zwang einen immer zum Lügen. Ich meine, kein Mensch kann was für sein Alter. Und wenn einer geistig weit über die Siebzehn raus ist, ist er doch schön blöd, die Wahrheit zu sagen, wenn er ernst genommen sein will. Wenn du in einen Film willst, der erst ab achtzehn ist, stellst du dich ja auch nicht hin und brüllst: Ich bin erst siebzehn. Übrigens ging ich wohl doch ziemlich oft ins Kino. Das war immer noch besser, als zu Hause mit Mutter Wibeau vor der Röhre hokken.

Das erste, was ich machte, als Charlie weg war: ich lud den Recorder neu und teilte Willi mit:

⌐Nein, ich betrüge mich nicht! Ich lese in ihren schwarzen Augen wahre Teilnehmung an mir und meinem Schicksal. Sie ist mir heilig. Alle Begier schweigt in ihrer Gegenwart.⌐ Ende.

Leute! War das ein Krampf! Vor allem das mit der Begier. Das heißt, so ganz blöd war es auch wieder nicht. Ich kam einfach nicht mit dieser Sprache zu Rande. Heilig! Ich war gespannt, was Willi sich dazu einfallen ließ.

Danach war mir sehr nach Musik. Ich schob die Kassette mit den ganzen Aufnahmen von diesem M.S.-Septett rein und fing an mich zu bewegen. Zuerst langsam. Ich wußte, daß ich Zeit hatte. Das Band lief gute fünfzig Minuten. Ich hatte fast alles von diesen Jungs. Sie spielten, daß man ka-

puttging. Ich konnte nicht besonders gut tanzen, jedenfalls
nicht öffentlich. Ich meine: Dreimal so gut wie jeder andere
konnte ich es immer noch. Aber richtig warm wurde ich
nur in meinen vier Wänden. Draußen störten mich die ewi-
5 gen Tanzpausen. Man kam langsam in Fahrt – Pause. Das
machte mich immer fast gar nicht krank. Diese Musik muß
pausenlos gespielt werden, meinethalben mit zwei Bands.
Sonst kann sich kein Mensch in seine richtige Form stei-
gern. Die Neger wissen das. Oder Afrikaner. Man soll
10 wohl Afrikaner sagen. Bloß, wo gab es zwei solche Bands
wie das M.S.-Septett? Man mußte froh sein, daß es die
Jungs überhaupt gab. Vor allem den Orgeler. Meiner Meinung nach konnten sie den nur von einem Priesterseminar
haben, ein Ketzer oder so. Ich hatte mir fast den halben
15 Arsch aufgerissen, um alle Aufnahmen von den Jungs auf-
zutreiben. Die gingen ungeheuer los. Eine Viertelstunde
und ich war echt high, das zweitemal in kurzer Zeit. Sonst
hatte ich das höchstens einmal im Jahr geschafft. Ich wußte
langsam, daß es genau richtig war für mich, nach Berlin zu
20 gehen. Schon wegen Charlie. Leute, war ich high! Ich weiß
nicht, ob das einer begreift. Wenn ich gekonnt hätte, hätte
ich euch alle eingeladen. Ich hatte für mindestens dreihun-
dertsechzig Minuten Musik in den Kassetten. Ich glaube,
ich war echt begabt zum Tanzen. Edgar Wibeau, der große
25 Rhythmiker, gleich groß in Beat und Soul. Ich konnte auch
steppen. Ich hatte mir an ein Paar Turnschuhe Steppeisen
gebaut. Es war erstaunlich, im Ernst. Und wenn meine Kassetten nicht gereicht hätten, wären wir in den »Eisenbah-
ner« gegangen oder noch besser in die »Große Melodie«*,
30 wo die M.S.-Jungs spielten oder ⌐SOK⌐ oder ⌐Petrowski⌐,
Old Lenz*, je nachdem, wer gerade dran war. Montag war
immer fester Tag. Oder denkt vielleicht einer, ich wußte
nicht, wo man in Berlin hingehen mußte wegen echter Musik? Nach *einer* Woche wußte ich das. Ich glaube nicht, daß
35 es viele Sachen in Berlin gegeben hat, die ich versäumt ha-

Authentische
Namen der
einschlägigen
Lokalitäten

Klaus Lenz,
Jazztrompeter

be. Ich war wie in einem Strom von Musik. Vielleicht versteht mich einer. Ich war doch wie ausgehungert, Leute! Schätzungsweise zweihundert Kilometer um Mittenberg rum gab es doch keine anständige Truppe, die Ahnung hatte von Musik. Old Lenz und Uschi Brüning*! Wenn die Frau anfing, ging ich immer kaputt. Ich glaube, sie ist nicht schlechter als Ella Fitzgerald* oder eine. Sie hätte alles von mir haben können, wenn sie da vorn stand mit ihrer großen Brille und sich langsam in die Truppe einsang. Wie sie sich mit dem Chef verständigte ohne einen Blick, das konnte nur Seelenwanderung sein. Und wie sie sich mit einem Blick bedankte, wenn er sie einsteigen ließ! Ich hätte jedesmal heulen können. Er hielt sie so lange zurück, bis sie es fast nicht mehr aushalten konnte, und dann ließ er sie einsteigen, und sie bedankte sich durch ein Lächeln, und ich wurde fast nicht wieder. Kann auch sein, es war alles ganz anders mit Lenz. Trotzdem, die »Große Melodie«, das war eine Art Paradies für mich, ein Himmel. Ich glaube nicht, daß ich in der Zeit von viel was anderem gelebt habe als von Musik und Milch.

Anfangs war mein Problem in der »Großen Melodie« bloß, daß ich keine langen Haare hatte. Ich fiel ungeheuer aus dem Rahmen. Als echter Vorbildknabe durfte ich in Mittenberg natürlich keinen Kanten haben und eine Innenrolle schon gar nicht. Ich weiß nicht, ob sich einer vorstellen kann, was das für ein Leiden war. Ich krümmte mich, wenn ich die anderen mit ihren Loden sah, natürlich nur innerlich. Ansonsten behauptete ich, daß mir lange Haare nichts sein konnten, wenn alle welche hatten, weil da kein Mut zu gehörte. Dabei gab es in einer Tour Heckmeck wegen der Haare. Schon bei der Einstellung. Ich weiß nicht, wer das kennt, Leute. Dieses Gesicht, wenn sie einem erklären, daß in der Werkstatt oder wo keine langen Haare getragen werden dürfen, wegen der Sicherheit. Oder eben Kopfschutz, Haarnetz, wie die Frauen, womit einer dann aussieht wie

Rock- und Jazzsängerin

Amerik. Jazzsängerin

markiert, wie bestraft. Ich glaube, keiner kann sich vorstellen, was das für eine Genugtuung für einen wie Flemming war. Die meisten nahmen natürlich den Kopfschutz, und wenn es ging, nahmen sie ihn ab. Mit dem Erfolg, daß
5 Flemming sofort angetobt kam. Er hätte nichts gegen lange Haare, aber in der Werkstatt . . . ., *leider* . . . und so weiter. Wenn ich sein Grinsen sah dabei, wurde mir immer rot vor Augen. Ich weiß nicht, wie man so was nennen muß, wenn Leute wegen langer Haare ewig angestänkert werden. Ich
10 möchte wissen, wem man damit irgendwas zuleide tut? Ich fand Flemming dann immer ungeheuer fies. Vor allem, wenn er dann noch sagte: Seht euch den Edgar an. Der sieht immer proper* aus. Proper!

Irgendwer hat mir mal die Geschichte von einem erzählt,
15 auch so einem Musterknaben, Durchschnitt eins und besser, Sohn prachtvoller Eltern, bloß, er fand keine Kumpels. Und in seiner Gegend gab's da so eine Horde, die kippte Parkbänke um, schmiß Scheiben ein und dergleichen Zeugs. Kein Aas konnte sie erwischen. Der Anführer war
20 ein absolut ausgeschlafener Junge. Aber eines mehr oder weniger schönen Tages klappte es doch. Sie griffen ihn. Der Kerl hatte Haare bis auf die Schultern – typisch! Bloß, es war eine Perücke, und in Wahrheit war er eben jener prachtvolle Musterknabe. An einem Tag hatte es ihm ge-
25 reicht, und er hatte sich eine Perücke angeschafft.

Anfangs in Berlin dachte ich oft daran, ebenfalls irgendwo eine Perücke aufzureißen, für die »Große Melodie«. Aber erstens liegen Perücken nicht einfach so auf der Straße rum, und zweitens hatte ich einen geradezu teuflischen Haar-
30 wuchs. Ob das einer glaubt oder nicht – meine Haare wurden am Tag schätzungsweise zwei Zentimeter länger. Das war lange Zeit ein echtes Leiden von mir. Ich kam gar nicht wieder weg vom Friseur. Aber auf die Art hatte ich nach zwei Wochen schon einen annehmbaren Pilz.

gepflegt, ordentlich, sauber

»Sie haben ihn demnach noch öfter gesehen?«

»Das ließ sich nicht vermeiden. Wir waren ja praktisch Nachbarn. Und seit der Sache mit dem Wandbild gingen ihm die Kinder nicht mehr von der Pelle! Was sollte ich dagegen machen? Er konnte mit Kindern umgehen, wie man das bei Männern ganz selten hat, ich meine, bei Jungs. Außerdem glaube ich, daß Kinder genau wissen, wer was für sie übrig hat oder nicht.«

Das stimmt. Charlies Gören war nicht mehr zu helfen. So sind sie. Man darf ihnen nicht den kleinen Finger geben. Ich wußte das. Sie denken wahrscheinlich, das macht einem Spaß. Trotzdem machte ich mit, geduldig wie ein Vieh. Erstens war Charlie der Meinung, ich könnte hervorragend mit Kindern auskommen, eine Art Kindernarr. Die Meinung wollte ich ihr nicht nehmen. Ich und ein Kindernarr! Zweitens waren die Gören meine einzige Chance, an Charlie dranzubleiben. Ich konnte machen, was ich wollte, ich kriegte Charlie nicht wieder auf meine Kolchose und in meine Laube schon gar nicht. Sie wußte, warum, und ich auch. Auf die Art hing ich also Tag für Tag in diesem Auslauf. Ich drehte das Karussell oder was dieses Ding mit den vier Auslegern sein sollte, oder ich mimte den Indianer. Dabei kriegte ich langsam mit, wie man sie sich abwimmeln kann, wenn man will. Wenigstens für zehn Minuten. Ich teilte sie in zwei Parteien und ließ sie sich befehden. Um die Zeit kam auch die erste Antwort von Willi. Der gute Willi. Das war zuviel für ihn. Das hatte er nicht überstanden. Auf dem Band war folgender Text: Salute, Eddie! So geht es nicht. Gib mir den neuen Code. Welches Buch, welche Seite, welche Zeile. Ende. Was macht Variante drei?

Gib mir den neuen Code! Ich wurde nicht wieder. Das war zuviel für ihn. Es war auch nicht ganz fair von mir, das gebe ich zu. Ansonsten verstanden wir uns aufs Stichwort. Aber das war zuviel. Ein neuer Code. Ich hätte mir in den Hintern beißen können. Wenn wir in Stimmung waren, konnten wir uns zum Beispiel massenweise blöde Sprichwörter an den Kopf werfen: Ja, ja, das Brot hat immer zwei Kanten. – Schon recht. Aber wenn man das Geschirr morgens nicht abtrocknet, ist es noch naß. – Wer dumm ist, braucht noch lange nicht blöd zu sein. – Arbeit macht die Füße trocken. In dem Stil. Aber das war zuviel für Old Willi. Leute, seine Stimme hättet ihr hören sollen. Er verstand die Welt nicht mehr. Mit Variante drei meinte er, ob ich arbeite oder so. Er dachte wohl, ich verhungere. Genauso Charlie. Sie fing immer wieder davon an.

Ich hatte nichts gegen Arbeit. Meine Meinung dazu war: Wenn ich arbeite, dann arbeite ich, und wenn ich gammle, dann gammle ich. Oder stand mir etwa kein Urlaub zu? Aber es soll keiner denken, ich hatte vor, ewig auf meiner Kolchose zu hocken und das. Man denkt vielleicht erst, das geht. Aber jeder einigermaßen intelligente Mensch weiß, wie lange. Bis man blöd wird, Leute. Immer nur die eigene Visage sehen, das macht garantiert blöd auf die Dauer. Das popt dann einfach nicht mehr. Der Jux fehlt und das. Dazu braucht man Kumpels, und dazu braucht man Arbeit. Jedenfalls ich. Bloß so weit war ich noch nicht. Vorläufig popte es noch. Außerdem hatte ich keine Zeit für Arbeit. Ich mußte an Charlie dranbleiben. An Charlie lag mir was, aber das sagte ich wohl schon. In so einem Fall muß man dranbleiben. Ich seh mich noch neben ihr hocken in diesem Auslauf, und die Gören spielten um uns rum. Charlie häkelte. Ein Idyll, Leute. Fehlte bloß noch, daß ich meinen Kopf in ihrem Schoß hatte. Ich hatte da keine Hemmungen, und ich hatte es auch schon einmal geschafft. Das Gefühl am Hinterkopf war nicht schlecht. Im Ernst. Aber seit dem Tag brachte sie Häkelzeug mit und fummelte damit ständig in ihrem Schoß rum. Sie kam nachmittags mit den Gören, setzte sich hin und nahm das Häkelzeug vor.

Ich war dann immer schon da. Charlie hatte eine Art, sich hinzusetzen, die einen halb krank machen konnte. Sie hatte wohl nur weite Röcke, und bevor sie sich hinsetzte, faßte sie jedesmal hinten nach dem Saum, hob ihn an und setzte sich auf ihre Hosen. Sie machte das sehr präzise. Deswegen war ich immer schon da, wenn sie kam. Ich wollte mir das nicht entgehen lassen. Ich sorgte auch dafür, daß die Bank immer trocken war. Ich weiß nicht, ob sie das merkte. Aber daß ich zusah, wenn sie sich hinsetzte, wußte sie genau. Das kann mir keiner erzählen. So sind sie. Sie wissen genau, daß man zusieht, und machen es trotzdem. Eine Schau für sich war auch, wie sie dabei jedesmal ihre Scheinwerfer nach unten hielt. Sonst war es ihre Art, einen immerzu anzusehen. Aber in dem Moment hielt sie ihre Scheinwerfer nach unten. Ich glaube, Charlie hatte einen leichten Silberblick. Deswegen der Eindruck, daß sie einen ständig ansah. Ich weiß nicht, ob einer diese Porträts von Leuten kennt, die an der Wand hängen und einen immerzu ansehen, in welche Ecke man auch geht. Der Trick, den die Maler da haben, ist einfach der, daß sie die Augen so malen, daß die optischen Achsen genau parallel verlaufen, was sie im Leben nie tun. Bekanntlich gibt es keine wirklichen Parallelen. Ich will damit nicht sagen, daß es mir unangenehm war. Das nicht. Bloß, man wußte nie, nahm sie einen für voll oder machte sie sich über einen lustig? Das konnte einen ziemlich krank machen.

Ich sagte wohl schon, daß ich praktisch zum Inventar von diesem Kindergarten gehörte. Eine Art Außen-Hausmeister oder was. Fehlte bloß noch, daß ich den Zaun anstrich. Dieses Spielzeugreparieren und Karussellschieben gehörte sowieso schon zum Service. Und Luftballonaufblasen. An dem Tag, wahrscheinlich Kinderfest, hatte ich schon ungefähr zwei hoch sechs Ballons aufgeblasen, und beim zwei hoch siebenten wurde mir schwarz vor Augen, und ich kippte um. Ich kippte glatt um. Ich konnte vier Minuten

tauchen, drei Tage hungern oder einen halben Tag keine
Musik hören, ich meine: echte Musik. Aber davon kippte
ich um. Als ich wieder auftauchte, lag ich in Charlies
Schoß. Ich begriff das sofort. Sie hatte mein Hemd aufge-
5 macht und massierte meine Brust. Ich drückte meine Birne
fest an ihren Bauch und hielt still. Leider bin ich blödsinnig
kitzlig. Ich mußte mich also hinsetzen. Die Gören standen
um uns rum. Charlie war blaß. Fast sofort tobte sie los:
Wenn ich Hunger hätte, würde ich was essen, ja?!
10 Ich meinte: Kommt bloß vom Aufblasen.
Charlie: Wenn ich nichts zu essen hätte, würde ich mir was
kaufen.
Ich grinste. Ich wußte genau, warum sie so tobte. Weil sie
ungeheuer froh war, daß ich noch lebte. Jeder einigerma-
15 ßen intelligente Mensch hätte das gemerkt. Sie fraß mich
förmlich auf mit ihren Scheinwerfern, Leute. Ich wurde
beinah nicht wieder. Bloß die Gören hätte ich auf den
Mond schießen können.
Charlie: Wenn ich kein Geld hätte, würde ich arbeiten
20 gehn.
Ich sagte: Wer nicht ißt, soll auch nicht arbeiten. Ich hielt
solche Verdrehungen für ziemlich witzig. Anschließend
brachte ich mich hoch, schoß in meine Kolchose, mehr als
zwei Schritte waren das nicht, und ruppte den ersten Sa-
25 latkopf ab, den ich in die Klauen kriegte. Ich sagte wohl
noch nicht, daß ich an einem Tag spaßeshalber alle Samen-
tüten, die da noch in Willis Laube rumlagen, im Garten
verstreut hatte. Als erstes war Salat gekommen. Salat und
Radieschen. Ich fing an, mir den Salat zwischen die Zähne
30 zu schieben. Der Sand knirschte, aber ich wollte nur folgendes loswerden:
⌐Wie wohl ist mir's, daß mein Herz die simple harmlose
Wonne des Menschen fühlen kann, der ein Krauthaupt auf
seinen Tisch bringt, das er selbst gezogen.⌐
35 Natürlich hatte ich das von diesem Werther! Ich glaube, ich
hatte an dem Tag so viel Charme wie nie.

Charlie sagte bloß: Du Spinner!

Bis dahin hatte sie das noch nie gesagt. Sie war immer auf die Palme gegangen, wenn ich mit diesem Werther kam. Ich wollte sofort meine Chance nutzen und meinen Kopf wieder bei ihr unterbringen, und es hätte garantiert auch geklappt, wenn mir in dem Moment nicht dieses blöde Werther-Heft aus dem Hemd gerutscht wär. Ich hatte mir angewöhnt, es immer im Hemd zu haben, ich wußte eigentlich selbst nicht, warum.

Charlie hatte es sofort in der Hand. Sie blätterte drin, ohne zu lesen. Ich sah ziemlich alt aus. Ich wäre mir reichlich blöd vorgekommen, wenn sie alles mitgekriegt hätte. Sie fragte, was das ist. Ich nuschelte: Klopapier. Eine Sekunde später hatte ich das Ding wieder. Ich steckte es weg. Schätzungsweise zitterte mir leicht die Hand dabei. Seit dem Tag ließ ich es in der Laube, Leute. Danach wollte ich wieder weitermachen mit Charmantsein und dem, bloß da kam die Kindergartenchefin in den Auslauf getobt. Ich dachte erst, sie hat vielleicht was gegen meine geschätzte Anwesenheit. Aber sie sah mich gar nicht. Sie sah nur Charlie an, irgendwie komisch.

Sie sagte: Mach Schluß für heute. Ich mach weiter für dich.

Charlie verstand überhaupt nichts.

Die Chefin: Dieter ist da.

Charlie wurde käseweiß, dann knallrot. Dann sah sie mich wie einen Schwerverbrecher an oder was, und dann fegte sie ab.

Ich sah nicht mehr durch.

Die Chefin erklärte mir: Dieter ist ihr Verlobter.

Er war an dem Tag von der Armee zurück, in Ehren entlassen und das. Fragte ich mich, wieso Charlie das nicht wußte. Das kriegt man doch geschrieben. Dann dachte ich an den Schwerverbrecherblick. *Ich* sollte schuld sein, *ich*, Edgar Wibeau, der Arbeitsscheue, der Halbmaler, der Spinner! An mir sollte es liegen, daß sie ihren Dieter nicht

am Bahnhof mit Blumen und alldem empfangen hatte. Ich dachte, mich tritt ein Pferd. Ich glaube, ich sagte schon, daß ich ziemlich viel Charme hatte. Daß ich ankam bei Frauen oder bei weiblichen Wesen. Ich meine jetzt: geistig, oder
5 wie man das nennen soll. Sylvia war fast drei Jahre älter als ich gewesen, aber von wegen Frau? Ich weiß nicht, ob mich einer versteht. Sylvia war weit unter meinem Niveau. Ich hatte deswegen nichts gegen sie, aber sie war weit unter meinem Niveau. Charlie war die erste ernsthafte Frau, mit
10 der ich zu tun hatte. Ich hatte nicht gedacht, daß ich gleich so bei ihr losgehen würde. Ich wurde fast nicht wieder, Leute. Ich denke, das kam, weil ich immer an ihr drangeblieben war. Ich spurtete in meine Laube, das heißt, ich wollte. Vorher sah ich noch Dieter. Er war Charlie entge-
15 gengekommen. Er war in Schlips und Kragen, hatte einen Koffer, eine von diesen blöden Kollegmappen, ein Luftgewehr in der Hülle und einen Strauß Blumen. Ich schätzte ihn auf fünfundzwanzig, ich meine: diesen Dieter. Demnach mußte er ⌐länger gedient⌐ haben. Wahrscheinlich hat-
20 te er es bis zum General gebracht oder so. Ich wartete, ob sie sich küßten. Ich konnte aber nichts davon sehen.
In der Laube griff ich sofort zum Mikro. Das mußte Old Willi mitkriegen. Eine Sekunde, und ich hatte den passenden Text:
25 ⌐Genug, Wilhelm, der Bräutigam ist da? ... Glücklicherweise war ich nicht beim Empfange! Das hätte mir das Herz zerrissen.⌐ Ende.

»Wenn es mit der Malerei nichts gewesen ist, frage ich mich, wovon er denn nun eigentlich gelebt hat.«
30 »Er hätte höchstens irgendwo den Hilfsarbeiter abgeben können. Aber das hätten wir merken müssen, mein Mann und ich. Das heißt, damals waren wir noch nicht verheiratet. Wir kannten uns schon ziemlich lange, von Kind auf. Er war dann lange bei der Armee gewesen. Ich

brachte ihn und Edgar zusammen. Dieter, also mein Mann, war zuletzt ⌐Innendienstleiter⌐ gewesen. Ich weiß nicht, ob Ihnen das was sagt. Dabei hatte er jedenfalls viel mit Jungs in Edgars Alter zu tun. Ich dachte, er würde auf Edgar vielleicht ein bißchen Einfluß haben. Sie 5 kamen auch ganz gut zusammen aus. Wir waren einmal bei Edgar, und Edgar war gelegentlich bei uns. Aber Edgar war ja nicht zu helfen. Es war ihm einfach nicht zu helfen. Dieter hatte wirklich eine Lammsgeduld mit ihm, vielleicht zu viel, ich weiß nicht. Aber Edgar war 10 eben nicht zu helfen.«

Es stimmt. Sie rückten mir beide auf die Bude. Mit ihrem Dieter zusammen traute sich Charlie wieder in meine Bude. Sie war ein paar Tage nicht im Auslauf gewesen. Ihre Gören ja, sie nicht. Dann tauchte sie mit Dieter bei mir auf. Sie 15 duzte mich. Ich kannte das. Sie wollte Dieter klarmachen, daß sie zu mir stand wie zu einem harmlosen Spinner. Ich nahm sofort die Fäuste hoch. Ich meine, nicht wirklich. Innerlich. Ich sagte wohl noch nicht, daß ich seit vierzehn im Boxklub war. Außer Old Willi war das vielleicht das 20 Beste in Mittenberg. Ich wußte zwar nicht, was Dieter für ein Partner war. Auf den ersten Blick schätzte ich ihn für ziemlich schlapp. Aber ich hatte gelernt, daß man einen Partner nie nach dem ersten Blick einschätzen darf. Bloß, daß er kein Mann für Charlie war, der Meinung war ich 25 sofort. Er hätte ihr Vater sein können, ich meine, nicht altersmäßig. Aber sonst. Er bewegte sich mindestens so würdig wie ⌐Bismarck⌐ oder einer. Er baute sich vor meinen gesammelten Werken auf. Wahrscheinlich hatte ihn Charlie vor allem deswegen mitgeschleppt. Sie war sich immer 30 noch nicht ganz sicher, ob ich nicht doch ein verkanntes Genie war. Ansonsten hielt sie sich immer dicht neben Dieter. Ich hatte nach wie vor die Fäuste oben. Dieter brauchte ziemlich lange. Ich dachte schon, es kommt gar nichts von ihm. Aber das war so Dieters Art. Ich glaube nicht, daß er irgendein blödes Wort sagte, das er nicht dreimal überlegt hatte, wenn das reicht. Dann legte er los: Ich würde sagen, es könnte ihm nichts schaden, wenn er sich mehr auf das Leben orientieren würde in Zukunft, auf das Leben der Bauarbeiter zum Beispiel. Er hat sie ja hier direkt vor der Tür. Und dann natürlich gibt es hierbei wie überall gewisse Regeln, die er einfach kennen muß: Perspektive, Proportionen, Vordergrund, Hintergrund.

Das war's. Ich sah Charlie an. Ich sah mir den Mann an. Ich hätte laut Scheiße brüllen können. Der Mann meinte das ernst, völlig ernst. Ich dachte erst: Ironie. Aber er meinte das ernst, Leute!

Ich hätte ihn noch eine Weile durch den Ring treiben können, aber ich beschloß, sofort meine schärfste Waffe einzusetzen. Ich überlegte kurz und schoß dann folgendes Ding ab:

⌈Man kann zum Vorteile der Regeln viel sagen, ungefähr was man zum Wohle der bürgerlichen Gesellschaft sagen kann. Ein Mensch, der sich nach ihnen bildet, wird nie etwas Abgeschmacktes und Schlechtes hervorbringen, wie einer, der sich durch Gesetze und Wohlstand modeln läßt, nie ein unerträglicher Nachbar, nie ein merkwürdiger Bösewicht werden kann; dagegen wird aber auch alle Regel, man rede, was man wolle, das wahre Gefühl von Natur und den wahren Ausdruck derselben zerstören!⌉

Dieser Werther hatte sich wirklich nützliche Dinge aus den Fingern gesaugt. Ich sah sofort, daß ich die Fäuste runternehmen konnte. Der Mann hatte nichts mehr zu bestellen. Charlie hatte ihn mindestens auf allerhand vorbereitet, aber *das* war zuviel für ihn. Er tat zwar so, als hätte er es mit einem armen Irren zu tun, den man keinesfalls reizen darf, bloß damit konnte er mich nicht täuschen. Jeder vernünftige Trainer hätte ihn aus dem Kampf genommen. Technischer K.o. Charlie wollte denn auch gehen. Aber

Dieter hatte noch was: Andererseits ist es recht originell, was er da macht, und auch dekorativ.

Ich weiß nicht, was er sich dabei dachte. Wahrscheinlich glaubte er, *er* hätte mich ausgeknockt, und wollte mir jetzt die Pille versüßen! Du armer Arsch! Der Mann tat mir leid. Ich ließ ihn gehen. Blöderweise fiel ihm in dem Moment dieser Schattenriß ins Auge, den ich seinerzeit von Charlie gemacht hatte. Charlie sagte sofort: Das sollte für dich sein. Er hat ihn mir bloß nicht gegeben. Angeblich, weil er noch nicht fertig war. Bloß *gemacht* hat er nichts daran seitdem.

Und Dieter: Ich hab dich ja jetzt in natura.

Leute! Das sollte wahrscheinlich charmant sein.

Das war ein Charmebolzen, der liebe Dieter.

Dann zogen sie ab. Charlie hing die ganze Zeit an seinem Hals. Ich meine, nicht wirklich. Mit ihren Scheinwerfern. Damit ich es bloß sah. Aber das lief ab an mir wie Wasser. Nicht daß einer denkt, ich hatte was gegen Dieter, weil er von der Armee kam. Ich hatte nichts gegen die Armee. Ich war zwar ⌈Pazifist⌉, vor allem, wenn ich an die unvermeidlichen achtzehn Monate dachte. Dann war ich ein hervorragender Pazifist. Ich durfte bloß keine ⌈Vietnambilder⌉ sehen und das. Dann wurde mir rot vor Augen. Wenn dann einer gekommen wäre, hätte ich mich als Soldat auf Lebenszeit verpflichtet. Im Ernst.

Zu Dieter will ich noch sagen: Wahrscheinlich war er ganz passabel. Es konnte schließlich nicht jeder so ein Idiot sein wie ich. Und wahrscheinlich war er sogar genau der richtige Mann für Charlie. Aber es hatte keinen Zweck, darüber nachzudenken. Ich kann euch nur raten, Leute, in so einer Situation nicht darüber nachzudenken. Wenn man gegen einen Gegner antritt, kann man nicht darüber nachdenken, was er für ein sympathischer Junge ist und so. Das führt zu nichts.

Ich griff nach dem Mikro und teilte Willi den neusten Stand der Dinge mit:

⌐Er will mir wohl, und ich vermute, das ist Lottens Werk . . ., denn darin sind die Weiber fein und haben recht; wenn sie zwei Verehrer in gutem Vernehmen miteinander erhalten können, ist der Vorteil immer ihr, so selten es auch
5 angeht.⌐ Ende.

Langsam gewöhnte ich mich an diesen Werther, aber ich mußte den beiden nach. Ich wußte, daß man dranbleiben muß, Leute. Die erste Runde kann an dich gehen, aber dann am Gegner dranbleiben. Ich wetzte hinter ihnen her
10 und hängte mich einfach mit rein. »Ich bringe euch noch«, in diesem Stil. Charlie hing an Dieters Arm. Den andern gab sie fast sofort mir. Ich wurde beinah nicht wieder. Ich mußte sofort an Old Werther denken. Der Mann wußte Bescheid. Dieter sagte keinen Ton.

15 Wir landeten auf Dieters Bude. In einem Altbau. Ein Zimmer und Küche. Das war das aufgeräumteste Zimmer, das es überhaupt geben konnte. Mutter Wibeau hätte ihre Freude dran gehabt. Es war ungefähr so gemütlich wie der Wartesaal auf dem Bahnhof Mittenberg. Bloß, der war we-
20 nigstens nie aufgeräumt. *Das* konnte ich leiden. Ich weiß nicht, ob das einer kennt, diese Zimmer, die ewig so aussehen, als sind sie nur zwei Tage im Jahr bewohnt und dann vom Chef der Hygieneinspektion. Und das schönste war: Charlie dachte plötzlich genau dasselbe. Sie sagte: Das
25 wird hier alles anders. Laß uns erst mal heiraten, ja?

Ich fing mit einer Art ⌐Stubendurchgang⌐ an. Zuerst nahm ich mir die Bilder vor, die er hatte. Das eine war ein mieser Druck von ⌐Old Goghs Sonnenblumen⌐. Ich hatte nichts gegen Old Gogh und seine Sonnenblumen. Aber wenn ein
30 Bild anfängt, auf jedem blöden Klo rumzuhängen, dann machte mich das immer fast gar nicht krank. Bestenfalls tat es mir dann ekelhaft leid. Meistens konnte ich es für den Rest meines Lebens nicht mehr ausstehen. Das andere war in einem Wechselrahmen. Ich will nichts weiter darüber
35 sagen. Wer es kennt, weiß, welches ich meine. Ein echtes

Brechmittel, im Ernst. ⌜Dieses prachtvolle Paar da am Strand⌝. Überhaupt: Wechselrahmen. Wenn ich alle Bilder der Welt sehen will, geh ich ins Museum. Oder mir geht ein Bild an die Nieren, dann häng ich es mir dreimal ins Zimmer, damit ich es von überall sehen kann. Wenn ich Wechselrahmen sah, dachte ich immer, die Leute haben sich verpflichtet, im Jahr zwölf Bilder anzusehen.

Plötzlich sagte Charlie: Die Bilder stammen noch aus unserer Schulzeit.

Dabei hatte ich den Mund nicht *einmal* aufgemacht. Ich hatte auch nicht gestöhnt oder die Augen verdreht, nichts. Ich sah mich nach Dieter um. Ich möchte sagen, der Mann stand in seiner Ecke, hatte die Fäuste unten und bewegte sich nicht. Kann sein, er hatte noch nicht begriffen, daß die zweite Runde längst lief. Charlie entschuldigte sich ständig für ihn, und er bewegte sich nicht. Leute, ich wußte jedenfalls, was ich zu tun hatte. Als nächstes nahm ich mir seine Bücher vor. Er hatte die Masse. Alles unter Glas. Alle der Größe nach geordnet. Ich sackte zusammen. Immer wenn ich so was sah, sackte ich zusammen. Meine Meinung zu Büchern hab ich wohl schon gesagt. Ich weiß nicht, was er alles hatte. Garantiert alle diese guten Bücher. Reihenweise ⌜Marx⌝, ⌜Engels⌝, ⌜Lenin⌝. Ich hatte nichts gegen Lenin und die. Ich hatte auch nichts gegen den Kommunismus und das, die Abschaffung der Ausbeutung auf der ganzen Welt. Dagegen war ich nicht. Aber gegen alles andere. Daß man Bücher nach der Größe ordnet zum Beispiel. Den meisten von uns geht es so. Sie haben nichts gegen den Kommunismus. Kein einigermaßen intelligenter Mensch kann heute was gegen den Kommunismus haben. Aber ansonsten sind sie dagegen. Zum Dafürsein gehört kein Mut. Mutig will aber jeder sein. Folglich ist er dagegen. Das ist es. Charlie sagte: Dieter wird Germanistik studieren. Er hat eine Menge aufzuholen. Andere, die nicht so lange bei der Armee waren, sind längst Dozenten heute.

Ich sah Dieter an. Spätestens jetzt wäre ich an seiner Stelle losgegangen. Aber er hatte immer noch die Fäuste unten. Eine hervorragende Situation. Langsam begriff ich, daß es zu einem ungeheuren Bums kommen mußte, wenn ich so
5 weitermachte und wenn Charlie nicht aufhörte, sich für ihn zu entschuldigen.

Das einzige in dem ganzen Zimmer war noch Dieters Luftgewehr, ein Knicklauf. Er hatte es über das Bett gehängt. Ich holte es lässig runter, ohne zu fragen, und fing an damit
10 rumzufummeln. Ich hielt die Spritze auf dieses Paar am Strand, auf Dieter, auf Charlie. Bei Charlie kam Dieter endlich in Bewegung. Er drehte mir den Lauf weg.

Ich fragte: Geladen?

Und Dieter: Trotzdem. Ist schon zu viel vorgekommen.
15 Solche Opa-Sprüche brachten mich immer fast gar nicht um. Trotzdem sagte ich nichts. Ich hielt mir bloß den Lauf an die Schläfe und drückte ab. Das brachte ihn endlich aus der Reserve: Das Ding ist kein Spielzeug! *Soviel* Grips wirst du doch haben!
20 Dabei riß er mir die Flinte aus der Hand.

Ich ließ sofort meine schärfste Waffe sprechen, Old Werther:

⌐Mein Freund ..., der Mensch ist Mensch, und das bißchen Verstand, das einer haben mag, kommt wenig oder
25 nicht in Anschlag, wenn Leidenschaft wütet und die Grenzen der Menschheit einen drängen. Vielmehr – Ein andermal davon.⌐

Die Grenzen der Menschheit, unter dem machte es Old Werther nicht. Aber ich hatte Dieter voll getroffen. Er
30 machte den Fehler, darüber nachzudenken. Charlie hörte gar nicht mehr hin. Aber Dieter machte den Fehler nachzudenken. Ich konnte an sich gehen. Da fing Charlie an: Ich mach uns noch was zu schnabulieren*, ja?

Und Dieter: Von mir aus! Aber ich hab zu tun. Er war in
35 Fahrt. Er pflanzte sich hinter seinen Schreibtisch. Mit dem Rücken zu uns.

Genießerisch (eine Kleinigkeit) essen

Charlie: Er hat in drei Tagen Aufnahmeprüfung.

Charlie hatte wohl einen schlechten Tag. Sie konnte es nicht lassen. Ich stand immernoch rum. In dem Moment ging Dieter in die Luft. Er sagte eisig: Kannst ihm ja *unterwegs* noch was von mir erzählen.

Charlie wurde bleich. Das war ein glatter Rauswurf für uns beide. Ich hatte sie in eine herrliche Lage gebracht, ich Idiot freute mich noch. Charlie war bleich, und ich Idiot stand da und freute mich noch. Dann ging ich. Charlie kam mir nach. Auf der Straße kriegte ich es fertig, den Arm um ihre Schultern zu legen.

Charlie boxte mir sofort in die Rippen und fauchte mich an: Bist du noch normal, ja?

Dann rannte sie weg. Sie rannte weg, aber ich kam in eine völlig verrückte Stimmung. Ich begriff zwar langsam, daß ich bei Charlie vorläufig nichts zu bestellen hatte. Trotzdem war ich irgendwie echt high. Jedenfalls stand ich plötzlich vor meiner Laube und hatte ein Band von Old Willi in den Pfoten. Folglich mußte ich auf der Post gewesen sein. Ich weiß nicht, ob einer so was kennt, Leute.

Lieber Edgar. Ich weiß nicht, wo du bist. Aber wenn du jetzt zurückkommen willst, der Schlüssel liegt unter dem Fußabtreter. Ich werde dich nichts fragen. Und ab jetzt kannst du nach Hause kommen, wann du willst. Und wenn du deine Lehre in einem anderen Betrieb fertig machen willst, auch. Hauptsache, du arbeitest und gammelst nicht.

Ich dachte, mich tritt ein Pferd. Das war Mutter Wibeau.

Dann kam Willi: Salute, Eddie. Ich hab deine Mutter einfach nicht abwimmeln *können*. Tut mir leid. Sie ist ganz schön am Boden. Sie wollte mir sogar Geld geben für dich. Vielleicht ist der Gedanke mit dem Arbeiten gar nicht so schlecht. Denk mal an van Gogh oder einen. Was die alles machen mußten, um malen zu können. Ende.

Ich hörte mir das an. Ich wußte sofort, was von Old Werther darauf paßte:

⌐Das war eine Nacht! Wilhelm! nun überstehe ich alles. Ich
werde sie nicht wiedersehn! . . . Hie sitz ich und schnappe
nach Luft, suche mich zu beruhigen, erwarte den Morgen,
und mit Sonnenaufgang sind die Pferde . . .⌐

5 Länger war das Band blöderweise nicht, und ich hatte keinen Nachschub mehr. Ich hätte ein Stück Musik löschen
müssen, aber das wollte ich nicht. Aus der Bude gehen und
neues Band ranschaffen wollte ich auch nicht. Ich analysierte mich kurz und begriff, daß die ganze Kolchose und
10 das nicht mehr popte. Ich dachte nicht daran, zurück nach
Mittenberg zu gehen, das nicht. Aber es popte einfach nicht
mehr.

»Aber irgendwann muß Edgar dann doch angefangen
haben zu arbeiten, beim Bau. Beim WIK.«
15 »Ja, sicher. Ich hab ihn dann einfach aus den Augen
verloren. Ich hatte genug eigene Dinge. Die Hochzeit.
Dann fing Dieter an zu studieren. Germanistik. Es fiel
ihm nicht ganz leicht zu Anfang. Ich arbeitete nur noch
halbtags, um ihm den Start zu erleichtern. Dann zogen
20 wir mit dem Kindergarten in den Neubau um, das alte
Haus kam weg, wegen der Neubauten, auch der Auslauf
neben Edgars Grundstück. Wir hätten einfach zur Polizei gehen sollen. Da wohnt einer unerlaubt in einer Laube. Ich weiß nicht, ob ihm das geholfen hätte. Jedenfalls
25 wäre es dann nicht passiert.«
»Darf ich Sie etwas fragen? – Haben Sie Edgar gemocht?«
»Wie gemocht? Edgar war noch nicht achtzehn, ich war
über zwanzig. Ich hatte Dieter. Das war alles. Was den-
30 ken Sie?«

Richtig, Charlie, nicht alles sagen. Es hat keinen Zweck,
alles zu sagen. Ich hab das mein Leben lang nicht gemacht.
Nicht mal dir hab ich alles gesagt, Charlie. Man kann auch

nicht alles sagen. Wer alles sagt, ist vielleicht kein Mensch
mehr.

»Sie müssen mir nicht antworten.«
»Gemocht hab ich ihn natürlich. Er konnte sehr komisch sein. Rührend. Er war immer zu in Bewegung . . . 5
ich . . .«

Heul nicht, Charlie. Tu mir den Gefallen und heul nicht.
Mit mir war nicht die Bohne was los. Ich war bloß irgend
so ein Idiot, ein Spinner, ein Angeber und all das. Nichts
zum Heulen. Im Ernst. 10

»Guten Tag! Ich soll mich an Kollegen Berliner wen-
den.«
»Ja. Das bin ich.«
»Wibeau ist mein Name.«
»Haben Sie was mit Edgar zu tun? Edgar Wibeau, der 15
bei uns war?«
»Ja. Der Vater.«

Addi! Alte Streberleiche! Ich grüße dich! Du warst von Anfang an mein bester Feind. Ich hab dich getriezt, wo ich
konnte, und du hast mich geschurigelt, wenn es irgendwie 20
ging. Aber jetzt, wo alles vorbei ist, kann ich es rauslassen:
Du warst ein Steher! Unsere unsterblichen Seelen waren
verwandt. Bloß deine Gehirnwindungen waren rechtwink-
liger als meine.

»Das war eine tragische Sache mit Edgar. Erst waren wir 25
ziemlich am Boden. Heute ist uns vieles klarer. Edgar
war ein wertvoller Mensch.«

Addi, du enttäuschst mich, und ich dachte, du bist ein Steher. Ich dachte, du machst das nicht mit, über einen, der

Die neuen Leiden des jungen W.

über den Jordan gegangen ist, diesen Mist zu reden. Ich und ein wertvoller Mensch. ⌜Schiller⌝ und ⌜Goethe⌝ und die, das waren vielleicht wertvolle Menschen. Oder Zaremba. Es hat mich sowieso zeitlebens immer fast gar nicht getötet, wenn sie über einen Abgegangenen dieses Zeug redeten, was er für ein wertvoller Mensch war und so. Ich möchte wissen, wer das aufgebracht hat.

»Wir haben Edgar leider von Anfang an falsch angefaßt, einwandfrei. Wir haben ihn unterschätzt, vor allem ich als Brigadeleiter. Ich hab in ihm von Anfang an nur den Angeber gesehen, den Nichtskönner, der nur auf unsere Knochen Geld verdienen wollte.«

Klar wollte ich Geld verdienen! Wenn einer keine Tonbänder mehr kaufen kann, muß er Geld verdienen. Und wo geht er in diesem Fall hin? Zum Bau. Motto: Wer nichts will und wer nichts kann, geht zum Bau oder zur Bahn. Bahn war mir zu gefährlich. Da hätten sie garantiert nach Ausweis und Aufenthaltsgenehmigung gefragt und dem Käse. Also Bau. Auf dem Bau nehmen sie jeden. Das wußte ich. Sauer war ich bloß, als ich zu Addi und Zaremba und der Truppe reinkam, sie renovierten olle Berliner Wohnungen, immer gleich hausweise, und Addi sagte sofort: »Morgen«, sagt man, wenn man reinkommt!
Den Typ kannte ich. Frag so einen mal nach Salinger oder einem. Da kommt garantiert nichts. Da denkt er, das ist ein Fachbuch, das ihm entgangen ist.
Vielleicht wär alles anders gekommen, wenn Addi an dem Tag blaugemacht hätte oder was. Auf *die* Art war ich natürlich gleich kontra. Kann auch sein, daß meine Nerven nicht die besten waren zu der Zeit, wegen der Sache mit Charlie. Es ging mir doch mehr an die Nieren als ich gedacht hatte.
Das nächste, was Addi machte, war, daß er mir eine von

diesen Malerrollen hinhielt und mich fragte, ob ich so was schon mal in der Hand gehabt habe. Jeder Pionier kennt diese Dinger. Folglich verweigerte ich glatt die Aussage. Danach hielt er mir einen Pinsel hin und schickte mich zu Zaremba. Fenster vorstreichen. Alle glotzten natürlich, wie ich mich anstellen würde. Aber mir wurde sofort besser, als ich Zaremba sah. Sozusagen Liebe auf den ersten Blick. Ich sah sofort, der Alte war ein Vieh. Zaremba war über siebzig. Er konnte längst auf Rente sein, aber er rakkerte hier noch rum. Und nicht etwa als Lückenbüßer. Er konnte sich eine Bockleiter zwischen die Beine klemmen und damit regelrecht durch die Stube tanzen und wurde nicht die Bohne naß dabei. Abgesehen davon, daß er sowieso nur aus Haut, Knochen und Muskeln bestand. Wo sollte da Wasser herkommen. Einer seiner Tricks war, sich von jemand ein offenes Taschenmesser auf den Bizeps fallen zu lassen. Es sprang weg wie aus Gummi. Oder er spielte den ⌈Glöckner von Notre-Dame⌉. Dazu nahm er ein Auge raus, er hatte ein Glasauge, knickte in der Hüfte ein und wankte durch die Gegend. Wir lagen regelmäßig am Boden. Das Glasauge hatte er sich in ⌈Spanien⌉ eingehandelt. Das heißt: Gemacht hatte es ihm einer in ⌈Philadelphia⌉. Außerdem fehlten ihm noch ein Stück von einem kleinen Finger und zwei Rippen. Dafür hatte er noch alle Zähne und beide Arme und die Brust voll Tätowierungen. Aber nicht diese dicken Weiber und Herzen und das und Anker. Das wimmelte bloß so von Fahnen, Sternen und ⌈Hammer und Sichel⌉, da war sogar ein Stück ⌈Kremlmauer⌉. An sich war er wohl aus Böhmen oder so. Aber das schönste war, daß er es noch mit Frauen hatte. Ich weiß nicht, ob das einer glaubt, es war aber Tatsache. Zaremba betreute unseren Bauwagen. Er machte da sauber und hatte immer den Schlüssel. Es war ein ziemlich schmuckes Fahrzeug. Mit zwei Kojen und allem Drum und Dran. Einmal, es war schon dunkel, schlich ich mich da ran. Ich

wußte bis dahin gar nichts, sondern ich hatte aus einem ganz bestimmten Grund etwas unter dem Wagen zu machen. Da hörte ich deutlich, wie er eine Frau am Wickel hatte. Ihrem Lachen nach muß sie sehr nett gewesen sein.
Es soll aber keiner denken, ich wäre Zaremba wegen alledem gleich um den Hals gefallen. Das nun nicht. Schon nicht, weil er mich als erstes fragte, ob ich mit der Gewerkschaft auf dem laufenden wäre. Er war Kassierer. Das tötete mich immer fast gar nicht. Wenn es nicht Zaremba gewesen wäre, hätte ich sofort kehrtgemacht. So hielt ich ihm kurz mein Buch hin. Er nahm es mir weg und fing an es durchzuschnüffeln. Wahrscheinlich wollte er nur Bescheid wissen über mich. Natürlich hatte ich in Berlin nicht bezahlt. Sofort hatte er seine komische Blechschachtel draußen, und ich sollte nachzahlen. Kunststück, wenn einer nicht mal Tonbänder kaufen kann. Wahrscheinlich wollte er das nur wissen.
Dann fing ich also an, freiweg eins von diesen Fenstern vorzustreichen. Die Farbe lief nur so über das Glas. Ich hatte zu Hause x-mal die Fenster gestrichen, aber ich brachte es einfach nicht anders fertig. Hätten sie nicht so geglotzt, wie ich mich anstelle, hätte ich das sauberste Fenster hingelegt. Nicht so sauber wie Zaremba. Zaremba malte wie eine Maschine. Aber so sauber wie irgendein anderer von ihnen immer noch, einschließlich Addi. Addi wurde sichtlich nervös. Er ging bloß deshalb nicht gleich in die Luft, weil ja Zaremba neben mir war. Daß ich Zaremba nicht aus der Ruhe bringen würde, war mir ziemlich schnell klar. Er sah mich gar nicht. Jedenfalls hielt es Addi nicht mehr aus und keifte los: Ich würde das ganze Fenster zuschmieren!
Was ich machte, ist wohl klar. Ich fing an, das ganze Fenster zuzuschmieren. Ich dachte, Addi fällt von der Leiter. Aber dann fiel ich fast von der Leiter, wenn ich auf einer gewesen wäre. Direkt neben mir fing Zaremba plötzlich an

zu singen! Ich dachte, mich tritt ein Pferd und streift ein Bus und alles zusammen. Zaremba dröhnte, und die anderen machten fast sofort mit, und zwar nicht irgendeinen Schlager oder was, sondern eins von diesen Liedern, von denen man immer nur die erste Strophe kennt. Aber diese Truppe dröhnte den ganzen Song runter. Ich glaube: ⌜Auf, Sozialisten, schließt die Reihen. Die Trommel ruft, die Fahnen wehn . . .⌝

Das war eine Truppe, Leute! Auf, Sozialisten! Mir fiel fast der Pinsel aus den Pfoten. Das war so Zarembas Methode, wenn der liebe Addi in die Luft gehen wollte. Das stellte sich bei der nächsten Gelegenheit heraus. Es war in irgendeiner ollen Küche. Die Wand war da ziemlich rissig, und ich sollte sie ausgipsen. Sagte Addi: Gelegentlich mit Gips zu tun gehabt? – Dann sieh dir mal die Wand an.

In diesem Stil.

Ich fing also an, in irgendeinem Eimer Gips anzurühren. Ich weiß nicht, wer das kennt, Leute. Ich nahm jedenfalls zeitlebens immer erst zuviel Wasser, dann zuviel Gips und so weiter. Auf diese Art wurde langsam der Eimer voll, und ich hätte schon ein As sein müssen, wenn das Zeug nicht hart werden sollte. Ich sah schon ziemlich alt aus, da kam die Rettung. Addi verlor die Nerven. Er fauchte: Ich würde den *ganzen* Eimer voll machen.

Was Besseres fiel ihm nicht ein. Ich parierte natürlich aufs Wort und kippte den ganzen Gips in den Eimer. Fast in derselben Sekunde fing Zaremba zu singen an. Er konnte uns gar nicht sehen aus dem Klo oder wo er gerade steckte. Aber er mußte es wohl gerochen haben, was los war. Es war wieder so eine Schote, ⌜diesmal mit Partisanen⌝, und wieder zog die ganze Truppe mit. Er hatte sie gut im Griff. Addi riß sich fast sofort zusammen und schickte mich in eins der Zimmer, den Boden fegen, wegen Vorstreichen. Ich an seiner Stelle hätte mir wahrscheinlich den ganzen ollen Eimer mit dem Gips über die Bonje* gekippt. Aber

Vom sorb. bana: bauchiges Gefäß, Krug, Kürbis; berlinerisch: Kopf, Schädel

Die neuen Leiden des jungen W.

Addi riß sich zusammen. Da ging mir das Licht auf, was es mit dem Gesinge auf sich hatte. Ich schob ab. Ich war bloß gespannt, was Zaremba machen würde, wenn ich ihm selber so kam. Ob er da auch singen würde. Vorher hörte ich
5 noch, wie Zaremba zu Addi in die Küche tobte und ihn anknurrte: Mußt ruhiger werden, Kerl. Viel ruhiger. No? Und Addi: Sag mir mal, was der bei uns will? Der will doch bloß auf unsere Knochen Geld verdienen, einwandfrei. Die Flasche, die.
10 Und Zaremba machte: No . . . Flasche?!
Ich sagte wohl schon, daß Zaremba aus Böhmen war. Deswegen wohl dieses »no«. Er brachte es in jedem Satz mindestens dreimal unter. Der Mann konnte mit diesem »no« mehr sagen als andere in ganzen Romanen. Sagte er: No?
15 und legte dabei den Kopf schräg, hieß das: Darüber denk noch mal nach, Kollege! Machte er: No?! und zog dabei seine Filzbrauen hoch, hieß das: Das sag nicht noch mal, Kumpel! Kniff er dabei seine Schweinsritzen zu, wußten alle, jetzt bringt er gleich den Glöckner von Notre-Dame.
20 Ich weiß nicht, ob es stimmt. Irgendeiner hatte mir erzählt, Zaremba soll gleich ⌜nach fünfundvierzig⌝ für drei Wochen Oberster Richter oder so von Berlin gewesen sein. Er soll ganz ulkige und ganz scharfe Urteile gefällt haben.
No? Herr Angeklagter, Sie waren also schon immer ein
25 großer Freund der Kommunisten, herich?! In dem Stil. »Herich«, das war auch so ein Wort von ihm. Ich brauchte ewig, bis ich kapiert hatte, daß »herich« »hör ich« heißt. Zaremba war schon ein Vieh.
Ich weiß nicht, ob er genug vom Singen hatte oder ob er
30 einsah, daß ich und Addi nicht zurechtkamen. Jedenfalls fing er an, mir die Aufträge zu geben. Das erste war, daß ich in irgendeinem ollen Klo das Paneel* oder vielmehr das, was über dem Paneel kommt, tünchen sollte und die Dekke. Er ließ mich allein dabei, und ich mixte mir die schönste
35 blaue Soße und fing an, mit der Rolle die Wände und die

Holzver-
kleidung

Decke zu verzieren, und zwar auf diese ⌜Pop-art⌝. Am Ende sah das aus wie eine Serie von Entwürfen für Autobahnschleifen. Und das alles schön blau. Ich war noch gar nicht ganz fertig, da stand Zaremba da und der Rest der Truppe hinter ihm. Sie waren wahrscheinlich höllisch gespannt, was er jetzt mit mir anstellen würde, vor allem Addi.

Aber er machte bloß: No?!

Das war wohl das längste »no«, was ich je von ihm gehört habe. Außerdem legte er dabei noch den Kopf schräg, zog die Filzbrauen hoch und kniff seine Schweinsritzen zu. Ich hätte mich beölen können. Ich bin heute noch stolz auf diese neue »no«-Variante.

»Klar, er benahm sich komisch. Einwandfrei. Aber ebendas hätte uns stutzig machen müssen, vor allem mich. Statt dessen jagte ich ihn weg, daran konnte auch Zaremba nichts ändern. Zaremba war vielleicht der einzige von uns, der ahnte, was in Edgar steckte. Aber ich war wie vernagelt. Es ging um unser ⌜NFG⌝, nebelloses Farbspritzgerät. Wir hatten schon mehrere Sachen gebaut, aber das sollte unsere größte werden. Ein Gerät, das Farben jeder Art versprüht, ohne daß dieser unverträgliche Farbnebel entsteht, der bis jetzt noch bei jedem Gerät dieser Art auftritt. Das wäre eine einmalige Sache gewesen, sogar auf dem Weltmarkt. Leider waren wir damals ins Stocken gekommen damit. Nicht mal Experten, die wir schließlich ranholten, kamen damit weiter. Und in dieser Situation stellte sich Edgar hin und machte Bemerkungen. Da platzte mir leider der Kragen. Ich will mich nicht entschuldigen. Ich war einfach nicht voll da.«

Jetzt tu mir einen Gefallen, Addi, und halt endlich die Luft an damit. Was in mir steckte, kann ich dir genau sagen:

nichts. Und in Sachen NFG überhaupt nichts. Deine Idee mit der Druckluft und der Hohldüse war nichts, und meine Idee mit der Hydraulik* war auch nichts. Also wozu das Geplärre. Ich gebe zu, daß ich mir von der Hydraulik al-
5 lerhand versprochen hatte, eigentlich von Anfang an, kaum daß ich das Ding gesehen hatte. Es lag da unter unserem Salonwagen rum. Ich war schon mindestens dreimal darüber gestolpert und hatte es auch schon beschnarcht. Aber ich hätte mir doch lieber sonstwas abgebissen, als
10 einen danach zu fragen, was das für ein Apparat war und so. Schon gar nicht Addi. Bis dann eines Tages Zaremba selber den Mund aufmachte. Ich glaube, dieser Hund sah durch mich durch wie durch Glas.

Hast du noch nicht gesehen, no? Kannst du auch nicht. Ist
15 einmalig. Diese Farbspritze versprüht Farben jeder Art auf der Erde, im Wasser und in der Luft, schafft wie drei Maler am Tag in drei Stunden, no, arbeitet *ohne* diesen Farbnebel und ist damit allen vergleichbaren Sachen auf dem Weltmarkt überlegen, selbst amerikanischen, herich. – Wenn sie
20 erst funktioniert, verstehst, no?

Anschließend wischte er ein bißchen Staub auf dem Ding und seufzte eine Weile rum. Dann sagte er noch: Es ist ⌐nicht unsere erste Erfindung⌐, aber unsere beste, no.

Es sah so aus, als wollte er damit Addi und die Truppe
25 anpieken, die natürlich längst dastanden. Das Ding lag wohl schon eine Weile rum. Es funktionierte nämlich keineswegs, es nebelte und nebelte, weiter nichts.

Ich sagte: Die Maschine wird ihn nie ersetzen.

Dabei hielt ich meinen Pinsel hoch. Ich durfte gerade mal
30 wieder vorstreichen.

Sofort ging Addi los: Hör mal zu, mein Freund. Alles schön und gut. Ich weiß nicht, was du fürn ⌐Spleen⌐ hast, aber irgendeinen hast du. Einwandfrei. Interessiert mich nicht. Aber wir sind hier eine Truppe und keine ganz schlechte,
35 und du gehörst nun mal dazu, und es wird dir auf die Dauer

Technisches Verfahren zur Druckerzeugung durch Flüssigkeit

nicht viel übrigbleiben, als dich einzufügen und mitzuzie-
hen. Und glaub nicht, du wärst unser erster Fall. Wir haben
schon ganz andere hingebogen. Frag Jonas. – Jedenfalls,
der muß erst noch kommen, der uns auf den Durchschnitt
zieht.

Das war's mal wieder. Er machte auf den Hacken kehrt
und zog ab, die anderen ihm nach. Ich verstand bloß die
Hälfte. Der Spruch mit der Maschine war schließlich ziemlich harmlos. Ich hatte noch ganz andere Sachen auf der
Pfanne. Old Werther zum Beispiel. Ich analysierte kurz die
Lage und stellte fest, daß ich Addis schwächsten Punkt er-
wischt hatte mit der Spritze.

Zaremba sagte denn auch: Mußt ihn verstehen, no. Ist sein
Einfall, die Spritze. Jesus, nicht dran rühren. Entweder es
wird der Knüller oder *der* Reinfall, no? – Sein erster!
Und ich:
⌜Er ist der pünktlichste Narr, den es nur geben kann; Schritt
vor Schritt und umständlich wie eine Base, ein Mensch, der
nie mit sich selbst zufrieden ist und dem es daher niemand
zu Danke machen kann.⌝
Das war endlich mal wieder Old Werther. Zaremba riß
seine Schweinsritzen auf und knurrte: No! Das sag du
nicht!
Er war der erste, den dieses ⌜Althochdeutsch⌝ nicht aus dem
Sattel warf. Es hätte mir auch leid getan. Ich gebe allerdings
zu, ich hatte für ihn eine ziemlich normale Stelle ausge-
sucht. Ich weiß nicht, ob das einer versteht, Leute. Ein paar
Tage später kam es dann zum Treffen. Addi und die Truppe
baute die Spritze auf dem Hof von einem dieser ollen Häu-
ser auf und schloß sie an. Zwei Experten waren aus irgendeiner Spezialbude gekommen mit einem ganzen Kasten
voller Düsen, jede anders. Die sollten nun durchprobiert
werden. Große Show. Alles mögliche Volk robbte an. Die
ganzen Töpfer und Maurer und was sonst noch in den
Häusern rumkroch. Es klappte mit keiner Düse. Entweder

es kam ein armdicker Strahl raus, oder es nebelte wie ein Rasensprenger. Die Experten waren von vornherein nicht besonders optimistisch, rückten aber jede Düse raus. Addi ließ einfach nicht locker. Er war ein Steher. Bis er dann zum kleinsten Kaliber griff, und dafür war dann einfach der Druck zu groß. Der olle Schlauch platzte, und wer im Umkreis von zehn Metern stand, war gelb wie ein Chinese oder was. Vor allem Addi. Der Heiterkeitserfolg war einmalig bei dem ganzen Volk.

Die Experten meinten: Laßt man. Uns ist das nicht besser gegangen, und wir haben alles! Nichts zu machen! Technisch nicht lösbar, jedenfalls heute noch nicht. Das liegt nicht an den Düsen.

Und dann kam ich und zückte meine Werther-Pistole:

⌜Es ist ein einförmiges Ding um das Menschengeschlecht. Die meisten verarbeiten den größten Teil der Zeit, um zu leben, und das bißchen, das ihnen von Freiheit übrigbleibt, ängstigt sie so, daß sie alle Mittel aufsuchen, um es loszuwerden.⌝

Die Experten dachten wohl, ich war der Clown der Truppe. Sie grinsten jedenfalls. Aber die Truppe selbst kam langsam auf mich zu, vorneweg Addi. Sie wischten sich immer noch die gelbe Soße aus den Gesichtern. Ich nahm die Fäuste hoch, im Fall der Fälle, aber es kam doch zu nichts. Addi fauchte bloß kalt: Hau ab! Hau bloß ab, sonst garantier ich für nichts.

Ich konnte sein Gesicht nicht richtig erkennen. Ich hatte selbst noch das Farbzeug in den Augen. Aber es hörte sich ganz so an, als wenn er kurz vorm Heulen war. Addi war über zwanzig. Ich wußte nicht, wann ich das letztemal geheult hatte. Es war jedenfalls eine Weile her. Vielleicht haute ich deswegen tatsächlich sofort ab. Kann sein, ich hatte den Bogen überspannt oder was. Ich hoffe, es hält mich deswegen keiner für feige, Leute. Als Boxer darf man sich ja sowieso nicht richtig wehren. Trifft man dumm, heißt es gleich: Sperre. Außerdem war da Zaremba, und der gab mir zu verstehen: Mach dich weg. Es ist das beste im Moment! Das war das vorläufige Ende meines Gastspiels als Anstreicher bei Addi und ⌐Genossen⌐.

Es war übrigens ein Sauwetter an dem Tag. Ich hechtete mich auf meine Kolchose. Als erstes diktierte ich für Old Willi auf das neue Band:

⌐Und daran seid ihr alle schuld, die ihr mich in das Joch geschwatzt und mir so viel von Aktivität vorgesungen habt. Aktivität! . . . Ich habe meine Entlassung . . . verlangt . . . Bringe das meiner Mutter in einem Säftchen bei.⌐ Ende.

Ich fand, das paßte großartig.

»Ich hab ihn einfach gefeuert! Nicht, daß wir uns abkapseln wollten. Jonas zum Beispiel kam aus dem Bau zu uns. Aber bei uns sammelt sich sowieso allerhand Volk, das nichts kann und meistens auch nichts will. Es ist nicht leicht, eine Truppe zusammenzukriegen, mit der man einigermaßen was anfangen kann.«

»Sie brauchen sich doch nicht zu entschuldigen! Edgar war vielleicht bloß ein Spinner und ein Querkopf, ewig vergnatzt, unfähig, sich einzufügen, und faul, was weiß ich . . .«

»Na, sachte! Vergnatzt war er eigentlich nie, jedenfalls bei uns nicht. Und ein Querkopf . . . ? Aber Sie müssen ihn besser kennen.«

»Wie denn kennen? Ich hab ihn seit seinem fünften Lebensjahr nicht gesehen!«

»Ja, das wußte ich nicht. – Das heißt, Moment! Edgar hat Sie besucht. Er war doch bei Ihnen!«

Halt die Fresse, Addi!

»Er hat noch geschwärmt. Sie haben eine Atelierwoh-
nung, nach Norden raus, alles voller Bilder, herrlich vergammelt.«

Halt doch die Fresse, Addi!

5   »Entschuldigen Sie. Ich hab es nicht von Edgar – von
    Zaremba.«
    »Wann soll denn das gewesen sein?«
    »Das muß gewesen sein, nachdem wir ihn gefeuert hat-
    ten, Ende Oktober.«
10 »Bei mir war niemand.«

Es stimmt aber leider. Ich weiß auch nicht, warum ich da
hinging, aber es ist Tatsache. Er wohnte in einem dieser
prachtvollen Kachelwürmer, von denen Berlin langsam
voll ist. Ich wußte seine Adresse. Aber ich wußte nicht, daß
15 es einer dieser prachtvollen Kachelwürmer war. Er hatte da
ein Appartement. Und nach Norden raus stimmt auch. Ich
weiß nicht, ob einer glaubt, daß ich so blöd war, mich
gleich vorzustellen. Guten Tag, Papa, ich bin Edgar, in dem
Stil. So nicht. Ich hatte meine Bauklamotten an. Ich sagte
20 einfach: die Heizungsmonteure, als er aufmachte. Er war
nicht besonders erbaut davon, aber er nahm es mir sofort
ab. Ich weiß nicht, was ich gemacht hätte, wenn er es mir
nicht abgenommen hätte. Irgendeinen Plan hatte ich nicht,
aber ich war mir ziemlich sicher, daß es klappen würde.
25 Eine blaue Hose, und du bist der Heizungsmonteur. Eine
olle Jacke, und du bist der neue Hausmeister. Eine Leder-
tasche, und du bist der Mann vom Fernmeldeamt und so
weiter. Sie nehmen dir alles ab, und man kann es ihnen
nicht mal übelnehmen. Man muß es bloß wissen. Außer-
30 dem hatte ich noch einen Hammer bei mir. Mit dem pin-
gelte ich eine Weile an dem Heizungskörper im Bad rum. Er
stand in der Tür und sah zu. Ich sagte nichts. Ich brauchte

einfach Zeit, um mich an ihn zu gewöhnen. Ich weiß nicht, ob das einer begreift, Leute. Wissen, man hat einen Vater, und ihn dann sehen, das ist *überhaupt* nicht dasselbe. Er sah aus wie dreißig oder so. Das warf mich fast völlig um. Ich hatte doch keine Ahnung davon. Ich dachte doch immer, daß er mindestens fünfzig war! Ich weiß auch nicht, warum. Er stand da in der Tür in Bademantel und in nagelneuen Jeans. Ich sah das sofort. Um die Zeit gab es in Berlin nämlich plötzlich ⌐echte Jeans⌐. Keine Ahnung, warum. Aber es gab sie. Es war mal wieder kurz vor irgendwas. Es sprach sich natürlich sofort rum, jedenfalls in gewissen Kreisen. Sie verkauften sie in einem Hinterhaus, weil sie wußten, daß kein Kaufhaus Berlins die Massen fassen konnte, die wegen der Jeans kamen. Und so kam es denn auch. Ich nehme an, keiner glaubt, daß ich nicht dabeigewesen war. Und *wie* ich dabei war! So früh war ich lange nicht mehr aufgestanden, um rechtzeitig dazusein. Ich hätte mir doch sonstwas abgebissen, wenn ich keine Jeans abgekriegt hätte. Wir standen da zu dreitausend Mann in dem Treppenhaus und warteten auf den Einlaß. Kein Mensch kann sich vorstellen, wie dicht wir da standen. An dem Tag fiel der erste Schnee, aber gefroren hat von uns garantiert keiner. Ein paar hatten Musik mit. Es war eine Stimmung wie Weihnachten, wenn gleich die Tür aufgeht und die Bescherung anfängt – vorausgesetzt, man glaubt noch an den Weihnachtsmann. Wir waren alle echt high. Ich war kurz davor, meinen Bluejeans-Song loszulassen, als sie die Tür aufmachten und das Theater anfing. Hinter der Tür standen vier ausgewachsene Verkäufer. Die wurden zur Seite geschoben wie nichts, und wir stürzten uns auf die Jeans. Leider wurde die Sache ein glatter Verlust. Es war nicht die echte Sorte, die sie hatten. Es waren zwar auch ⌐authentische Jeans⌐, aber es war nicht die echte Sorte. Trotzdem war es ein gelungenes ⌐Happening⌐ an dem Tag. Am besten waren vielleicht diese zwei Provinzmuttis, die mit in dem Treppenhaus waren. Sie wollten wohl ihren Söhnchen in Kleindingsda echte Jeans mitbringen. Aber als die Stimmung langsam auf den Höhepunkt kam, kriegten sie plötzlich Schiß. Sie wollten raus, die Guten. Dabei hatten sie nicht die Bohne von Chance dafür, selbst wenn ich oder einer ihnen hätte helfen wollen. Sie mußten mitmachen, ob sie wollten oder nicht. Ich hoffe, sie haben es halbwegs überstanden.

Jedenfalls muß an diesem Tag auch dieser Vater irgendwo in der Masse gewesen sein. Ich konnte mir das gut vorstellen, wie er da vor mir in der Tür stand und mich überwachte. Warum er da stand, war mir übrigens fast sofort klar. Über einer Leine in diesem Bad hing ein Paar Damenstrümpfe. Garantiert hatte er eine im Zimmer, und gerade *da* wollte ich mich umsehen, bevor ich mich zu erkennen gab. Ich sagte also: Hier ist alles in Ordnung. Wolln mal sehen, was im Zimmer ist.

Und er: Da ist alles normal.

Ich: Schön. Aber dies Jahr kommt keiner mehr von uns.

Da gab er nach. Wir gingen in das Zimmer. Im Bett lag die Frau. Neben dem Bett stand so ein Campingbett, in dem hatte er wohl kampiert. Die Frau gefiel mir sofort. Sie hatte irgendwas von Charlie. Ich wußte nicht, was. Wahrscheinlich war es die Art, einen immerzu anzusehen, immerzu die Scheinwerfer auf einen zu halten. Ich konnte mir sofort vorstellen, wie wir zu dritt gelebt hätten. Wir hätten ein breiteres Bett angeschafft, und ich hätte auf dem alten oder von mir aus auf der Campingliege auf dem Korridor gepennt. Ich hätte morgens die Schrippen geholt und Kaffee gekocht, und wir hätten zu dritt an ihrem Bett gefrühstückt. Und abends hätte ich sie beide in die »Große Melodie« geschleppt oder auch mal sie allein, und wir hätten geflirtet, natürlich dezent, wie unter Kumpels.

Ich wurde denn auch sofort charmant: Pardon, Madame. Bloß der Heizungsmonteur. Gleich fertig. – In dem Stil.

Ich machte mich über den Heizungskörper her. Ich morste mit dem Hammer auf den Röhren und horchte auf das Echo, wie das diese Heizungskerle so draufhaben. Dabei beäugte ich natürlich das ganze Zimmer. Viel war da nicht. Eine Leiterwand mit Büchern. Ein Fernseher, vorletztes Modell. Nicht ein einziges Bild an den Wänden. Die Frau bot mir zu rauchen an.

Ich sagte: Nee, danke. Rauchen ist ein Haupthindernis der Kommunikation.

Ich machte so auf gebildeter junger Facharbeiter. Dann fragte ich diesen Vater: Sie sind wohl kein großer Bilderfreund?

Er verstand nichts.

Ich weiter: Na, die Wände. ⌜Tabula rasa⌝. Unsereins kommt rum. Bilder haben sie überall, so 'ne und solche, aber Sie? – Dafür haben Sie andere schöne Sachen.

Die Frau lächelte. Sie hatte sofort verstanden. Es war vielleicht auch nicht schwer. Wir sahen uns eine Sekunde an. Sie war, glaubte ich, das einzige in dem Zimmer, was mich nicht tötete. Alles andere tötete mich, vor allem die kahlen Wände. Ich kann es mir nicht anders erklären, daß ich plötzlich wie ein Blöder anfing zu schwafeln: Aber schon richtig. Ich sage immer, wenn schon Bilder, dann selber gemalte – und die hängt man sich feinerweise natürlich nicht an die eigenen Wände. Mal 'ne Frage: Haben Sie Kinder? Tip von mir: Kinder können malen, daß man kaputtgeht. Das kann man sich jederzeit an die Wand hängen, ohne rot zu werden ...

Ich weiß nicht, was ich sonst noch für ein blödsinniges Zeug zusammenredete. Ich glaube, ich hörte erst auf zu reden, als ich wieder auf der Treppe stand, die Tür zu war und ich feststellte, daß ich kein Wort gesagt hatte, wer ich war und das. Aber ich brachte es einfach nicht fertig, noch mal zu klingeln und alles zu sagen. Ich weiß nicht, ob das einer versteht, Leute.

Anschließend kroch ich wieder in meine Laube, wie immer. Ich wollte Musik machen und das und machte es auch, bloß, irgendwie popte das nicht. Ich kannte mich damals schon selbst genug, um zu kapieren, daß in dem Fall ir-
5 gendwas nicht stimmte mit mir. Ich analysierte mich kurz und stellte fest, daß ich sofort damit anfangen wollte, *meine* Spritze zu bauen. *Mein* NFG. Ich wußte zwar noch nicht wie. Ich wußte nur, daß sie völlig anders aussehen mußte als die von Addi. Ich wußte zwar, daß es nicht einfach sein
10 würde ohne richtiges Werkzeug und das. Aber es war nie meine Art, vor solchen Schwierigkeiten zurückzuschrek-ken. Klar war auch, daß die Sache völlig im geheimen statt-zufinden hatte. Und dann, wenn sie funktionierte, meine Spritze, wollte ich lässig wie ein Lord bei der Truppe auf-
15 kreuzen. Ich weiß nicht, ob mich einer begreift, Leute. Je-denfalls fing ich Idiot noch am selben Tag an, die ganze olle verlassene Kolonie nach brauchbaren Gegenständen ab-zusuchen. Ich weiß nicht, ob sich einer vorstellen kann, was in so einer Kolonie alles drinsteckt. Ich kann nur sa-
20 gen, alles, im Ernst, bloß nicht, was ich brauchte. Ich schleppte trotzdem alles ran, was irgendwie brauchbar aussah. Erst mal Material haben, dachte ich. Das war der erste Stein zu meinem Grab, Leute. Der erste Nagel zu mei-nem Sarg.

25 »Ich könnte sagen, daß wir ihn ziemlich schnell wieder zurückgeholt haben. Aber das war mehr auf Zarembas Initiative. Im Prinzip war es da schon zu spät. Edgar hatte zu der Zeit schon angefangen, an *seinem* NFG zu bauen. Zaremba wußte eben auch nicht alles. Wir stö-
30 berten ihn in seiner Laube auf. Aber davon, daß er an einer Spritze baute, war nichts zu sehen. Und auf die Idee, in die Küche zu sehen, sind wir leider nicht gekom-men.«

Das mit der Küche hätte euch die Bohne was genutzt, die war zugeschlossen. Da hätte ich kein Aas reingelassen. Vielleicht nicht mal Charlie. Ich war am schönsten Bauen. Da sah ich Zarembas Schädel mit seinen verschimmelten Haaren über meiner Hecke auftauchen. Sofort machte ich die Bude dicht, Leute. Ich haute mich auf das olle Sofa und fing an zu husten. Nicht, daß ich krank war oder so, jedenfalls nicht wirklich. Ich hatte zwar Husten. Wahrscheinlich hatte ich mir den bei der Rumkramerei in der ollen Kolonie zugezogen. Vielleicht hätte ich auch anfangen müssen zu heizen. Aber ich hätte auch aufhören können zu husten. Bloß, ich hatte es mir so schön angewöhnt. Es machte sich hervorragend so. Edgar Wibeau, das verkannte Genie, bei der selbstlosen Arbeit an seiner neuesten Erfindung, die Lunge halb weggefressen, und er gibt nicht auf. Ich war ein völliger Idiot, ehrlich. Aber das spornte mich an. Ich weiß nicht, ob das einer begreift. Also diesen Husten hatte ich drauf, als die Truppe meine Bude stürmte. Das heißt, sie stürmte nicht. Sie kamen fein leise. Erst Addi und dann Zaremba. Wahrscheinlich schob ihn der Alte. Diese Kerle dachten glatt, daß sie wegen mir ein schlechtes Gewissen haben mußten oder so. Weil sie mich weggescheucht hatten. Und dann ich mit meinem Husten auf dem Sofa! Ich weiß nicht, ob sich einer vorstellen kann, wie hervorragend ich diesen Husten draufhatte. Außerdem streckte ich noch meine Füße unter der ollen Decke vor, als wenn sie zu kurz gewesen wäre.

Zaremba meinte denn auch: Ahoi! Hast auch schon mal besser gehustet, no? Dann drehte er sich weg, damit Addi seinen Speech* loslassen konnte. Addi suchte sich zunächst was zum Festhalten, dann fing er an: Was ich noch sagen wollte, ich bin vielleicht manchmal 'n bißchen geradezu, ist so meine Art, einwandfrei. Müßten wir in Zukunft beide dran denken. Und die Spritze ist ja jetzt passé. Der Zug ist durch, einwandfrei.

(engl.) Rede; hier: Spruch

Es fiel ihm nicht leicht. Ich war beinah gerührt. Sagen konnte ich nichts, wegen dem Husten. Jonas der Gebesserte, erledigte den Rest: Wir dachten, du könntest dich auf Fußböden spezialisieren. Geht auch mit Rolle I a. Und
5 sonnabends sind wir immer kegeln.

Natürlich war der Rest der Truppe mittlerweile vollzählig versammelt. Sie waren förmlich reingetröpfelt, erst einer, dann noch einer. Ich hatte das Gefühl, Zaremba oder Addi hatte sie als Posten an allen vier Seiten aufgestellt gehabt,
10 falls ich mich verdünnisieren wollte. Ich hätte mich beölen können. Sie standen rum und beglotzten meine gesammelten Werke. Ich sah förmlich, wie das popte. Von da an hielten sie mich für einen seltenen Vogel oder was, dem man nicht mehr zu nahe treten durfte. Außer Zaremba.
15 Old Zaremba dachte sich garantiert sein Teil. Er fing dann auch an rumzuschnüffeln in meinem Bau. Zuletzt drückte er auch noch auf die Klinke zur Küche. Aber die war zu, wie gesagt, und auf seine ganzen Fangfragen, ob ich hier überwintern wollte, zum Beispiel, konnte ich kaum ant-
20 worten. Dieser Husten war einfach unberechenbar. Er kam immer in den blödesten Momenten, Leute. Ich hatte ihn wirklich gut drauf. Zaremba wollte mich sofort zum Arzt haben, der Hund. Ich sah für einen Moment ziemlich alt aus. Dann fiel mir ein, daß ich diesen Husten jeden Herbst
25 habe und daß er völlig harmlos ist. Eine Allergie. Heuhusten oder was. Einmaliger Fall. Rätsel für die Wissenschaft. Und da hörte er schließlich auf. Aber mein Husten besserte sich hervorragend seit dem Tag, ich meine: er verzog sich, bis auf gelegentliche kleine Anfälle. Arzt, das hätte mir
30 noch gefehlt. Meine Meinung zu Ärzten war: Sie konnten mir gestohlen bleiben. Ich war ein einziges Mal freiwillig bei einem Arzt wegen einem Ausschlag an den Füßen. Eine halbe Stunde später lag ich auf seinem Tisch, und er drosch mir in jeden Zeh zwei Spritzen, und dann zog er mir die
35 Zehennägel ab. Das war schon erstmal himmelschreiend.

Und als er fertig war, scheuchte er mich zu Fuß in das Krankenzimmer, ob das einer glaubt oder nicht, Leute. Ich blutete durch die Binden wie ein Blöder. Er dachte überhaupt nicht daran, mir einen Krankenstuhl oder was zu geben. Seitdem stand meine Meinung zu Ärzten fest. Jedenfalls stand ich von dem Tag an unter Naturschutz bei Addi. Die Bilder und dann noch ein in der Welt einmaliger Husten. Ich hätte mir wahrscheinlich sonstwas leisten können ab da. Aber ich konnte mich beherrschen. Ich hatte keine Sehnsucht, sie noch mal auf meiner Kolchose begrüßen zu dürfen. Daß sie mir womöglich auf die Schliche kamen mit der Spritze. Ich Idiot, ich dachte doch immer, ich würde mit der Spritze groß rauskommen. Ich versagte mir fast alles. Ich zückte zum Beispiel kein einziges Mal meine Werther-Pistole. Ich malte brav meine Fußböden mit der Rolle, und sonnabends ging ich sogar manchmal mit kegeln. Ich saß da wie auf Kohlen oder was, während sie kegelten und dachten: Den Wibeau, den haben wir großartig eingereiht. Ich kam mir fast vor wie in Mittenberg. Und zu Hause wartete meine Spritze.

In der Zeit riß ich auch dieses ⌜Hugenottenmuseum⌝ auf, durch Zufall. Ich hatte es eigentlich längst aufgegeben, danach zu suchen. Anfangs hatte ich dutzendweise Leute gefragt, eine Art Volksbefragung. Können Sie mir sagen, wo ich das Hugenottenmuseum finde? Erfolg gleich Null. Kein Aas in ganz Berlin wußte was davon. Die meisten hielten mich wohl für blöd oder für einen Touristen. Und plötzlich stand ich davor. Es war in einer kaputten Kirche. Der Bau hatte mich interessiert, weil er die erste Kriegsruine war, die ich gesehen hatte. In Mittenberg war doch kein einziger Schuß gefallen! Das hatte doch General Brussilow oder wer beinah vergessen einzunehmen. Und an der einzigen intakten Pforte von dem ganzen Bau stand: Hugenottenmuseum. Und darunter: Wegen Umbau geschlossen. Normalerweise hätte mich dieses Schild nicht gestört. Schließ-

lich war ich Hugenotte, und man konnte mich nicht aussperren. Schätzungsweise wäre mir doch der Museumschef um den Hals gefallen. Ein echter, lebender Hugenottensproß! Soviel ich wußte, waren wir doch am Aussterben.
5 Aber aus irgendeinem Grund machte ich vor diesem Schild kehrt. Ich analysierte mich kurz und stellte fest, daß es mich einfach nicht interessierte, ob ich adlig war oder nicht, oder was die anderen Hugenotten machten; wahrscheinlich nicht mal, ob ich Hugenotte oder ⌐Mormone⌐
10 oder sonstwas war. Aus irgendeinem Grund interessierte mich das nicht mehr.
Dafür kam ich um die Zeit auf eine andere blöde Idee, nämlich an Charlie zu schreiben.
Ich hatte sie seit dem Tag damals praktisch nicht wieder-
15 gesehen. Mir war klar, daß sie sich längst wieder mit ihrem Dieter vertragen hatte und daß ich nach allem keine Chancen bei ihr haben konnte. Trotzdem hatte ich sie immerzu im Kopf. Ich weiß nicht, ob das einer begreift, Leute. Mein erster Gedanke war sofort Old Werther. Der hatte doch in
20 einer Tour Briefe an seine Charlotte geschrieben. Ich brauchte denn auch nicht lange zu suchen, bis ich einen passenden fand:
⌐Wenn Sie mich sähen, meine Beste, in dem Schwall von Zerstreuung! Wie ausgetrocknet meine Sinne werden; . . .
25 nicht eine selige Stunde! nichts! nichts!⌐
Das pinselte ich auf die Rückseite von einer Speisekarte in diesem Kegelschuppen. Ich schickte es aber nie ab. Mir wurde klar, daß ich mit Werther schon gar keine Chancen mehr bei ihr hatte. Damit konnte ich ihr nicht mehr kommen.
30 men. Bloß, mir fiel nichts anderes ein. Einfach hingehen konnte ich doch nicht. Und dann steckte an einem Abend in meinem Briefkasten ein Kuvert. Ich sah das schon von weitem. Post kriegte ich doch nur postlagernd. Es war auch keine Briefmarke drauf. Und drin war eine Karte von Char-
35 lie: Lebst du noch? Besuch uns doch mal. Wir haben längst geheiratet.

Charlie mußte also selber dagewesen sein. Ich wurde fast nicht wieder, Leute. Die Knie wackelten mir. Im Ernst. Ich kriegte eine Art Schüttelfrost. Ich ließ alles stehen und liegen und tobte sofort los. Acht Minuten später stand ich vor Dieters Tür. Ich nahm einfach an, sie würden jetzt zusammen bei ihm wohnen. Und das war auch der Fall. Charlie machte auf. Sie starrte mich zuerst an. Ich hatte das Gefühl, daß ich ihr nicht ganz recht kam um die Zeit. Ich meine, ich kam ihr schon recht, aber doch nicht *ganz* recht. Vielleicht dachte sie auch bloß, ich würde nicht gleich am selben Tag kommen, an dem sie den Brief auf meine Kolchose gebracht hatte. Jedenfalls holte sie mich ins Zimmer. Sie hatten nur das eine Zimmer. Im Zimmer saß Dieter. Er saß da hinter seinem Schreibtisch, genauso, wie er da vor ein paar Wochen gesessen hatte. Das heißt, er saß nicht dahinter, sondern eigentlich davor. Er hatte den Schreibtisch am Fenster stehen und saß davor, mit dem Rücken zum Zimmer. Ich verstand das völlig. Wenn einer nur ein Zimmer hat, in dem er auch noch arbeiten muß, dann muß er sich irgendwie abschirmen. Und Dieter machte das mit dem Rücken. Sein Rücken war praktisch eine Wand.

Charlotte sagte: Dreh dich mal um?

Dieter drehte sich um, und mir fiel zum Glück ein: Wollte bloß mal fragen, ob ihr nicht 'ne Rohrzange habt.

Ich wurde einfach das Gefühl nicht los, Dieter sollte vielleicht gar nicht wissen, daß Charlie mich eingeladen hatte. Ich ging auch höchstens einen Schritt in das Zimmer. Komischerweise sagte Charlie: Haben wir eine Rohrzange?

Ich analysierte rasant die Lage und kam zu dem Schluß, daß Charlie die Sache mit der Rohrzange mitspielte. Sofort kriegte ich wieder diesen Schüttelfrost. Dieter fragte: Wozu brauchst du 'ne Rohrzange? Rohrbruch?

Und ich: Kann man so sagen.

Übrigens brauchte ich tatsächlich diese Zange. Für die Spritze. Ich hatte zwar etwas in der Art aufgerissen in einem ollen Schuppen. Bloß, die war dermaßen vergammelt, daß einer sich damit höchstens noch ein Loch ins Knie hauen konnte. Dann gaben wir uns die Pfoten, und Dieter machte: Na?

Das war dieses Onkel-Na. Hätte bloß noch gefehlt, daß er rangehängt hätte: junger Freund. Haben wir uns denn seit unserer letzten Zusammenkunft gebessert, oder haben wir immer noch diese Flausen im Kopf? Für gewöhnlich brachte mich so was sofort auf die Palme, und auch diesmal war ich sofort oben. Aber ich nahm mich zusammen und kam wieder runter und war ganz der bescheidene, vernünftige, gereifte Junge, der ich seit kurzem war, Leute. Ich weiß nicht, ob sich das einer vorstellen kann – ich und bescheiden. Und alles das bloß, weil ich dachte, ich hab diese Spritze in der Hinterhand, ich Idiot. Ich weiß gar nicht mehr, was ich mir eigentlich dachte dabei. Ich war wohl einfach so sicher, daß meine Idee mit der Hydraulik genau richtig war, daß ich schon vorher so bescheiden war wie ein großer Erfinder nach seinem Erfolg. Edgar Wibeau, der große, sympathische Junge, der trotzdem so bescheiden geblieben ist und so weiter. Wie bei diesen Spitzensportlern. Mann, Leute, war ich ein Idiot. Außerdem sah ich natürlich, daß Charlie rot wurde. Ich meine, ich *sah* es nicht. Ich konnte sie die ganze Zeit einfach nicht ansehen. Ich hätte sonst wahrscheinlich irgendeine Riesenidiotie gemacht. Aber ich *merkte* es. Wahrscheinlich ging in dem Moment ihr größter Traum in Erfüllung, daß ich und Dieter gute Freunde wurden. Bis dahin hatte sie noch hinter mir in der Tür gestanden. Jetzt wurde sie ganz aufgeregt, wollte Tee machen und das, und ich sollte mich hinsetzen. Das Zimmer war nicht wiederzuerkennen. Es war nicht bloß renoviert und so, sondern völlig neu eingerichtet. Ich meine, nicht mit Möbeln. Neu waren eigentlich bloß Bilder und Lampen und Gardinen und allerhand Kleinzeug, das Charlie wahrscheinlich mit in die Wirtschaft gebracht hatte. Plötzlich hätte ich da wohnen wollen. Ich meine nicht, daß da alles aufeinander abgestimmt war. Die Sessel nach dem Teppich. Der Teppich nach den Gardinen. Die Gardinen nach den Tapeten und die Tapeten nach den Sesseln, so was konnte mich immer fast gar nicht töten. Das war es nicht. Aber die Bilder waren zum Beispiel aus dem Kindergarten von den Gören. Daß Kinder malen können, daß man kaputtgeht, hab ich wohl schon gesagt. Das eine Bild sollte wohl ein Schneemann sein. Er war nur mit roter Tusche. Er sah aus wie Charlie Chaplin, wenn man ihm alles geklaut hat. Er konnte einem regelrecht an die Nieren gehen. Daneben hing Dieters Luftflinte. Die ganzen Bücher sahen plötzlich so aus, als liest sie ständig einer immer wieder. Man hatte plötzlich Lust, sich irgendwo hinzuhocken und sie alle nacheinander zu lesen. Ich fing an im Zimmer hin und her zu wetzen, mir alles zu besehen und darüber zu reden. Ich lobte alles wie ein Blöder. Ich kann nur jedem sagen, der auf ein Mädchen oder eine Frau scharf ist, der muß sie loben. Bei mir gehörte das einfach zum Service. Natürlich nicht auf die plumpe Art. Sondern so, wie zum Beispiel ich in diesem Zimmer bei Charlie. Abgesehen davon, daß es mir *wirklich* gefiel, sah ich natürlich, daß Charlie abwechselnd rot und blaß wurde. Ich hielt es für möglich, daß Dieter noch keinen Ton zu alldem gesagt hatte. Dazu paßte auch, daß er ganz schnell anfing, sich wieder abzuschirmen. Er arbeitete wieder. Als Charlie das sah, setzte sie sich sofort hin, und ich mußte auch. Ich wurde fast nicht wieder. Sie hatte immer noch diese Art, sich hinzusetzen mit ihrem Rock. Leute, ich kann einfach nicht beschreiben, wie mir zumute war. Später winkte sie mich aus dem Zimmer. Draußen erklärte sie mir: Du mußt ihn verstehen, ja? Er ist völlig raus aus allem durch die lange Armeezeit. Er ist der Älteste in seinem Studienjahr. Ich glaube, er weiß noch gar nicht, ob Literatur das Richtige ist für ihn. Sie flüsterte so gut wie. Dann fragte sie mich: Und du? Was macht deine Laube?

Ich fing fast automatisch mit meinem Husten an, dezent natürlich.

Charlie sofort: Du willst doch da nicht überwintern?

Ich sagte: Wohl kaum.

Ich hatte diesen Husten wirklich drauf wie nichts.

Dann fragte sie mich: Arbeitest du?

Und ich: Klar. Auf dem Bau.

Ich sah förmlich, wie das popte bei ihr. Charlie gehörte zu denen, die man fragen konnte, ob sie an das »Gute im Menschen« glauben, und die, ohne rot zu werden, »ja« sagen. Und damals glaubte sie wahrscheinlich, das Gute hätte in mir gesiegt und vielleicht, weil sie mir seinerzeit so gründlich ihre Meinung gesagt hatte.

Wenn ich in irgendeinem Buch las, irgendeiner steht plötzlich irgendwo und weiß nicht, wie er da hingekommen ist, weil er angeblich dermaßen abwesend ist, stieg ich meistens sofort aus. Ich hielt das für völligen Quatsch. An dem Abend stand ich vor meiner Laube und wußte tatsächlich nicht, wie ich da hingekommen war. Ich mußte den ganzen Weg lang gepennt haben oder was. Ich ließ sofort den Recorder laufen. Erst wollte ich die halbe Nacht lang tanzen, aber dann fing ich an, wie ein Irrer an der Spritze zu bauen. An dem Abend war ich so sicher wie nie, daß ich mit der Spritze auf dem richtigen Weg war. Es tat mir bloß leid, daß ich nicht wirklich die Rohrzange mitgenommen hatte von Charlie. Davon war natürlich keine Rede mehr gewesen. Meine war wirklich das Letzte. Aber auf die Art hatte ich einen Grund, am nächsten Nachmittag wieder bei Charlie aufzukreuzen. Dieter war nicht da. Charlie war dabei, an dem Baldachin von einer ihrer Lampen rumzubauen. Er wollte einfach nicht halten. Sie stand auf einer Bockleiter, wie wir sie auf dem Bau hatten. So eine, auf der Old Zaremba tanzen konnte. Ich schwang mich mit auf diesen Bock, und wir bauten zusammen an dem blöden Baldachin. Charlie hielt und ich schraubte. Aber ob das einer glaubt, Leute, oder nicht, mir zitterte die Hand. Ich kriegte diese Madenschraube einfach nicht zu fassen. Immerhin hatte ich Charlie so dicht vor mir wie eigentlich noch nie. Das wäre vielleicht noch gegangen. Aber sie hielt ihre Scheinwerfer voll auf mich. Es kam so weit, daß ich hielt und Charlie schraubte. Auf jeden Fall war das für die Schraube das beste. Sie faßte endlich. Charlie und mir waren die Arme abgestorben. Ich weiß nicht, ob das einer kennt, wenn man die Arme stundenlang nach oben hält. Wer Decken streicht oder Gardinen anmacht, weiß Bescheid. Wir stöhnten im Chor und massierten uns die Arme, alles auf der Leiter. Dann fing ich an, ihr von Zaremba zu erzählen, wie er mit der Leiter tanzen konnte, und dann faßten wir uns an den Armen und wackelten auf der Leiter durch das Zimmer. Wir waren mindestens dreimal am Umkippen, aber wir hatten uns vorgenommen, bis zur Tür zu kommen, ohne abzusteigen, und wir schafften es. Ich kriegte sie dazu. Das war es eben: zu so was konnte man Charlie kriegen. Neunundneunzig von hundert Frauen hätten doch sofort gepaßt oder eine Weile rumgekreischt und wären dann abgesprungen. Charlie nicht. Als wir an der Tür waren, stand Dieter auf der Schwelle. Wir jumpten sofort von der Leiter. Charlie fragte ihn: Willst du essen? Und ich: Dann werd ich man gehen. Es war bloß wegen der Rohrzange.

Ich hatte ungeheuren Schiß davor, daß er Charlie vor meinen Augen irgendwie anfaßte und sie vielleicht küßte oder was. Ich weiß nicht, was dann passiert wäre, Leute. Aber Dieter dachte überhaupt nicht daran. Er ging mit seiner Mappe zu seinem Schreibtisch. Entweder er küßte Charlie nie, wenn er kam, oder er verkniff es sich wegen mir. Ich mußte sofort an Old Werther denken, wie er an seinen Wilhelm da schreibt:

⌜Auch ist er so ehrlich und hat Lotten in meiner Gegenwart noch nicht ein einzigmal geküßt. Das lohn ihm Gott.⌝

⌐Ich begriff zwar nicht, was das mit ehrlich zu tun hatte⌐,
aber alles andere begriff ich. Ich hatte nie im Leben gedacht, daß ich diesen Werther mal so begreifen würde. Außerdem hätte er Charlie auch gar nicht küssen können oder
5 was. Sie war ziemlich schnell in der Küche. Trotzdem hätte
ich natürlich gehen müssen. Ich blieb aber. Ich stellte die
Leiter weg. Dann ständerte ich in dem Zimmer rum. Ich
wollte ein Gespräch mit Dieter anfangen, bloß mir fiel einfach nichts ein. Plötzlich hatte ich die Luftbüchse in den
10 Klauen. Dieter sagte keinen Ton dazu. Und als Charlie mit
dem Freßchen für ihn kam, sagte sie sofort: Vorschlag,
Männer, ja? Wir gehen dann zusammen schießen, an den
Bahndamm. Beibringen wolltst du's mir schon immer.
Dieter knurrte: Ist doch kein Büchsenlicht mehr um die
15 Zeit.
Er war dagegen. Er wollte arbeiten. Er hielt das für Kin-
derzeug. Genau wie das mit der Leiter. Aber Charlie hielt
ihre Scheinwerfer voll auf ihn, und da gab er nach.
Schlecht für ihn war bloß, daß er dann am Bahndamm
20 einfach nicht mitspielte. Wir schossen auf ein altes Park-
verbotsschild, das ich ziemlich schnell aufgerissen hatte.
Das heißt: Charlie schoß. Dieter mimte die Zielanzeige,
und ich korrigierte Charlies Technik. Das hatte sich so er-
geben, weil Dieter überhaupt nicht daran dachte, sich um
25 Charlie zu kümmern. Er ließ die Kinder sozusagen spielen.
Er dachte wahrscheinlich bloß an die Zeit, die ihn das alles
kostete. Ich konnte ihn an sich verstehen, trotzdem brachte
ich mich wegen Charlie halb um. Ich zeigte ihr, wie man
den Kolben in die Schulter zog und wie man die Füße im
30 rechten Winkel stellte und daß man von oben ins Ziel ging
und dabei ausatmete, und das ganze Zeug aus der ⌐vormi-
litärischen Ausbildung⌐, das sie einem da beibringen. Voll-
korn, Feinkorn, gestrichen Korn und Druckpunkt und das.
Charlie schoß und schoß und ließ sich geduldig von mir
35 anfassen, bis sie dann doch merkte, was mit Dieter los war,

oder vielleicht, bis sie es schließlich merken *wollte*. Da hörte sie auf. Übrigens hatte Dieter recht gehabt, es war eigentlich längst zu dunkel. Bloß mußte Dieter versprechen, am nächsten Sonntag mit ihr einen Ausflug zu machen, irgendwohin, Hauptsache raus. Von mir war nicht die Rede, jedenfalls nicht ausdrücklich. Charlie machte das sehr geschickt. Sie sagte: . . . machen wir einen Ausflug.

Da war alles drin. Aber vielleicht bildete ich Idiot mir auch bloß alles ein. Vielleicht dachte sie wirklich nicht an mich. Vielleicht wär alles, was dann kam, nicht passiert, wenn ich Idiot mir nicht eingebildet hätte, Charlie hätte auch mich eingeladen. Aber ich bedaure nichts. Nicht die Bohne bedaure ich was.

Nächsten Sonntag saß ich neben Charlie auf der Liege in ihrem Zimmer. Es regnete wie blöd. Dieter saß an seinem Schreibtisch und arbeitete, und wir warteten, daß er fertig wurde. Charlie war schon im Regenmantel und allem. Sie war überhaupt nicht überrascht gewesen oder was, als ich klingelte. Also hatte alles seine Richtigkeit. Oder vielleicht war sie auch überrascht, aber sie zeigte es nicht. Diesmal *schrieb* Dieter. Mit zwei Fingern. Auf der Maschine. Er schrieb aus dem Kopf. Eine Arbeit, dachte ich, und das stimmte wohl auch. Ich sah sofort: Es rollte nicht bei ihm. Das kannte ich. Er tippte ungefähr alle halbe Stunde einen Buchstaben. Das sagt wohl alles. Charlie sagte schließlich: Du kannst es doch nicht *zwingen!*

Dieter äußerte sich dazu nicht. Ich mußte die ganze Zeit auf seine Beine sehen. Er hatte sie um die Stuhlbeine gedreht und sich mit den Füßen dahinter festgehakt. Ich wußte nicht, ob das seine Angewohnheit war. Aber mir war eigentlich die ganze Zeit klar, daß er nicht mitkommen würde.

Charlie fing wieder an: Komm! Laß doch mal alles stehn und liegen, ja? Das wirkt manchmal Wunder!

Sie war nicht etwa wütend oder so. Noch nicht. Sie war vielleicht so sanft, wie eine Krankenschwester sein soll.

Die neuen Leiden des jungen W.

Dieter meinte: Bei dem Wetter doch nicht mit 'nem Boot. Ich weiß nicht, ob ich schon sagte, daß Charlie ein Boot ausleihen wollte.

Charlie sagte sofort: Dann nicht Boot, dann Dampfer. An sich hatte Dieter recht. Bei dem Wetter im Boot war eine echte Schnapsidee.

Er fing wieder an mit Tippen.

Charlie: Dann nicht Dampfer. Dann bloß ein paar Runden ums Karree.

Das war ihr letztes Angebot, und es war wirklich eine Chance für Dieter. Er rührte sich aber nicht.

Charlie: Außerdem sind wir ja nicht aus Zucker.

Ich glaube, in dem Moment war es schon mit ihrer Geduld vorbei. Dieter sagte ruhig: Fahrt doch.

Und Charlie: Du hast es fest versprochen! Dieter: Ich sag doch: Fahrt!

Da wurde Charlie laut: Wir fahren auch!

In dem Moment ging ich. Wie das weiterging, konnte sich jeder ausrechnen. Ich war auch völlig fehl da am Platze. Ich meine: ich ging aus dem Zimmer. Ich hätte natürlich ganz gehen sollen. Das sehe ich ein. Aber ich kriegte es einfach nicht fertig. Ich ständerte da in der Küche rum. Ich mußte plötzlich an Old Werther denken, wie er schreibt: ⌐Zieht ihn nicht jedes elende Geschäft mehr an als die teure, köstliche Frau? . . . Sattigkeit ist's und Gleichgültigkeit!⌐ Nun war ja Dieter kein Geschäftsmann und Charlie alles andere als eine teure Frau. Und Sattigkeit war's bei Dieter auch nicht. Klar, daß er von wegen der Armee ein hohes Stipendium hatte. Aber unsereins verdiente garantiert dreimal soviel mit dem bißchen Pinselei. Ich wußte auch nicht, was es war. An sich hatte ich gegen Dieter nichts einzuwenden. Fest stand bloß, daß er seit ewig mit Charlie nicht mehr aus ihrer Bude gegangen war. Das war das einzige, was feststand. Ungefähr als ich das analysiert hatte, kam Charlie aus dem Zimmer geschossen. Ich sage nicht umsonst: geschossen, Leute. Zu mir sagte sie bloß: Komm!

Ich war sofort bei ihr.

Dann sagte sie: Warte!

Ich wartete. Sie griff sich vom Kleiderhaken diesen grauen Umhang und drückte ihn – mir an die Brust. Dieter hatte das Ding wohl von der Armee mitgebracht. Es roch außer nach Gummi nach Benzin, Käse und verbranntem Müll.

Sie fragte mich: Kannst du Motorboot fahren?

Ich sagte: Kaum.

Normalerweise hätte ich gesagt: Klar. – Bloß, ich hatte die Rolle des braven Jungen schon wieder so gut drauf, daß ich glatt die Wahrheit sagte.

Charlie fragte: Was ist?

Sie sah mich an, wie wenn einer nicht richtig verstanden hat.

Ich sagte sofort: Klar.

Drei Sekunden später waren wir auf dem Wasser. Ich meine: Es dauerte sicher eine Stunde oder so. Es ging mir bloß zum zweitenmal mit Charlie so, daß ich einfach nicht wußte, wie ich wohin gekommen war. Wie im Film ging das. Zack und man war da. Ich hatte damals bloß keine Zeit, das zu analysieren. Dieses blöde Boot hatte ziemlich viel PS. Es schoß wie irr über die Spree, und drüben war die Betonmauer von irgendeinem Werk. Ich hatte alle Mühe, noch irgendwie die Kurve zu kriegen. Statt daß ich Idiot einfach Gas weggenommen hätte. Wir wären glatt ersoffen, und von dem Boot wäre nicht die Bohne was übriggeblieben. Diese Boote gehen ja sofort los, wenn man sie anläßt. Nichts mit Kupplung und so. Ich sah Charlie an. Sie sagte keinen Ton. Ich nehme an, der Bootsmensch, von dem wir den Kahn hatten, wurde nicht wieder dabei. Ich sah ihn bloß auf seinem Steg stehen. Wie Charlie ihm das Boot aus dem Kreuz geleiert hatte, war sowieso ein Kapitel für sich. Ich weiß nicht, ob einer glaubt, daß ich sehr schüchtern war und das. Oder daß ich Hemmungen hatte. Aber ich hätte gepaßt, als ich den Bau sah von dieser ⌐Aus-

leihstation der Jugend[1]. Das triefte alles vor Nässe. Im Wasser kein einziges Boot. Schließlich konnte von Saison keine Rede mehr sein kurz vor Weihnachten. Und der Bau war verrammelt wie für den dritten Weltkrieg. Aber Char-
5 lie fand ein Loch im Zaun und klingelte den Bootsmen-schen aus dem Bau und bekniete ihn so lange, bis er uns dieses Boot aus seinem Bootshaus rausgab. Ich hätte das nicht für möglich gehalten. Der Bootsmensch wahrschein-lich auch nicht. Ich glaube, an dem Tag hätte Charlie *alles*
10 erreicht. Sie war einfach nicht zu bremsen. Sie hätte jeden zu allem rumgekriegt.

Auf dem Wasser kroch sie mit unter die Pelerine*. Es reg-nete immer noch wie verrückt. Ein paar Grad weniger, und wir hätten den schönsten Schneesturm gehabt. Wahr-
15 scheinlich wird sich keiner mehr an den letzten Dezember erinnern. Es war sicher ekelhaft klamm in dem Kahn, aber ich merkte kein Stück davon. Ich weiß nicht, ob das einer begreift. Charlie legte den Arm um meinen Sitz und den Kopf auf meine Schulter. Ich dachte, ich wurde nicht wie-
20 der. Das Boot hatte ich langsam im Griff. Ich wußte nicht, ob es auf dem Wasser auch Verkehrsregeln gab. Ich hatte mal so was läuten hören. Aber auf dieser ganzen ewig lan-gen Spree war an dem Tag nicht ein einziges Boot unter-wegs oder Dampfer. Ich zog den Gasgriff ganz raus. Der
25 Bug stellte sich hoch. Dieses Boot war nicht übel. Wahr-scheinlich war es für den Privatgebrauch von diesem Bootsmensch. Ich fing an, allerhand Kurven zu ziehen. Hauptsächlich Linkskurven, weil das Charlie so gut gegen mich drückte. Sie hatte nicht die Bohne was dagegen. Spä-
30 ter fing sie selber an zu lenken. Einmal kamen wir nur knapp an einem Brückenpfeiler vorbei. Charlie sagte kei-nen Ton. Sie hatte immer noch ungefähr dasselbe Gesicht von dem Moment, als sie von Dieter rausgeschossen kam. Ich hatte bis dahin nicht gewußt, daß man eine Stadt auch
35 von hinten sehen kann. Berlin von der Spree, das ist Berlin

<aside>Weiter, ärmel-loser Regen-umhang</aside>

von hinten. Die ganzen ollen Werkhöfe und Lagerschuppen.

Zuerst dachte ich, der Regen würde uns das Boot vollmachen. Aber da war nichts. Wahrscheinlich fuhren wir drunter weg. Wir waren längst naß bis auf die Haut, trotz der Pelerine. Gegen diesen Regen half sowieso nichts. Wir waren so naß, daß uns längst alles egal war. Wir hätten ebensogut baden können in den Sachen. Ich weiß nicht, ob das einer kennt, Leute. Man ist so naß, daß einem wirklich alles egal ist.

Irgendwann hörten dann die Schuppen auf. Nur noch Villen und das. Dann mußten wir abbiegen, entweder links oder rechts. Ich zog natürlich nach links. Ich hatte bloß die Hoffnung, daß wir aus diesem See wieder rauskamen. Ich meine: auf einem anderen Weg. Ich wollte zeitlebens nie den gleichen Weg zurück machen, den ich irgendwo hingegangen war. Nicht aus Aberglauben und so. Das nicht. Ich wollte es nicht. Es langweilte mich wahrscheinlich. Ich glaube, das war auch so eine meiner fixen Ideen. Wie die mit der Spritze zum Beispiel. Als wir an einer Insel vorbeirauschten, wurde Charlie unruhig. Sie mußte mal. Ich verstand das. Wenn es regnet, geht einem das immer so. Ich suchte eine Lücke im Schilf. Zum Glück gab es davon massenweise. Eigentlich mehr Lücken als Schilf. Es goß immer noch wie aus Eimern. Wir jumpten an Land. Charlie verkrümelte sich irgendwohin. Als sie zurück war, hockten wir uns unter die Pelerine in das klitschnasse Gras von dieser Insel. Kann aber auch sein, es war nur eine Halbinsel. Ich bin da nie wieder hingekommen. Da fragte mich Charlie: Willst du einen Kuß von mir?

Leute, ich wurde nicht wieder. Ich fing an zu zittern. Charlie hatte noch immer diese Wut auf Dieter, das sah ich genau. Trotzdem küßte ich sie. Ihr Gesicht roch wie Wäsche, die lange auf der Bleiche gewesen ist. Ihr Mund war eiskalt, wahrscheinlich alles von diesem Regen. Ich ließ sie dann

einfach nicht mehr los. Sie riß die Augen auf, aber ich ließ
sie nicht mehr los. Es wäre auch nicht anders gegangen. Sie
war wirklich naß bis auf die Haut, die ganzen Beine und
alles.

In irgendeinem Buch hab ich mal gelesen, wie ein Neger,
also ein Afrikaner, nach Europa kommt und wie er seine
erste weiße Frau kriegt. Er fängt dabei an zu singen, irgendeinen Song von sich zu Hause. Ich stieg sofort aus. Es war
vielleicht einer meiner größten Fehler, gleich auszusteigen,
wenn ich was nicht kannte. Bei Charlie hätte ich wirklich
singen können. Ich weiß nicht, wer das kennt, Leute. Ich
war nicht mehr zu retten.

Wir sind dann zurück nach Berlin auf demselben Weg.
Charlie sagte nichts, aber sie hatte es plötzlich sehr eilig.
Ich wußte nicht, warum. Ich dachte, daß ihr einfach furchtbar kalt war. Ich wollte sie wieder unter die Pelerine haben,
aber sie wollte nicht, ohne eine Erklärung. Sie faßte die
Pelerine auch nicht an, als ich sie ihr ganz gab. Sie sagte auf
der ganzen Rückfahrt überhaupt kein Wort. Ich kam mir
langsam wie ein Schwerverbrecher vor. Ich fing wieder an,
Kurven zu ziehen. Ich sah sofort, daß sie dagegen war. Sie
hatte es bloß eilig. Dann ging uns der Sprit aus. Wir pät-
schelten uns bis zur nächsten Brücke. Ich wollte zur nächsten Tankstelle, Sprit holen, Charlie sollte warten. Aber sie
stieg aus. Ich konnte sie nicht halten. Sie stieg aus, rannte
diese triefende Eisentreppe hoch und war weg. Ich weiß
nicht, warum ich ihr nicht nachrannte. Wenn ich in Filmen
oder wo diese Stellen sah, wo eine weg will und er will sie
halten, und sie rennt zur Tür raus, und er stellt sich bloß in
die Tür und ruft ihr nach, stieg ich immer aus. Drei Schritte, und er hätte sie gehabt. Und trotzdem saß ich da und
ließ Charlie laufen. Zwei Tage später war ich über den
Jordan, und ich Idiot saß da und ließ sie laufen und dachte
bloß daran, daß ich das Boot jetzt allein zurückbringen
mußte. Ich weiß nicht, ob einer von euch schon mal über

Sterben nachgedacht hat und das. Darüber, daß einer eines Tages einfach nicht mehr da ist, nicht mehr anwesend, ab, weg, aus und vorbei, und zwar unwiderruflich. Ich hab eine ganze Zeit oft darüber nachgedacht, dann aber aufgegeben. Ich schaffte es einfach nicht, mir vorzustellen, wie das sein soll, zum Beispiel im Sarg. Mir fielen nichts als blöde Sachen ein. Daß ich im Sarg liege, es ist völlig dunkel, und es fängt an, mich grauenhaft am Rücken zu jucken, und ich muß mich kratzen, weil ich sonst umkomme. Aber es ist so eng, daß ich die Arme nicht bewegen kann. Das ist schon der halbe Tod, Leute, wer das kennt. Aber da war ich doch höchstens scheintot! Ich schaffte es einfach nicht. Kann sein, wer das schafft, der ist schon halb tot, und ich Idiot dachte wohl, daß ich unsterblich war. Ich kann euch bloß raten, Leute, das nie zu denken. Ich kann euch bloß raten, nie an ein Scheißboot oder was zu denken und sitzen zu bleiben, wenn euch eine wegläuft, an der euch was liegt.

Jedenfalls, dieser Bootsmensch hatte so gut wie die Wasserpolizei alarmiert, als ich endlich mit dem Boot kam. Aber er war stumm vor Glück, daß er seinen Kahn wiederhatte. Ich dachte: Der Mann vergißt diesen Tag auch nicht. Erst dachte ich, er würde einen Riesenaufriß machen. Ich nahm schon die Fäuste hoch. Ich war gerade in der richtigen Stimmung. Diesen Tankwart zum Beispiel an der Sonntagstankstelle hatte ich dermaßen vollgenölt, daß er nicht wieder wurde. Er wollte mir keinen Kanister pumpen. Er war von dem Typ: Und-wer-bezahlt-mir-den-Kanister-wenn-er-weg-ist? Mit solchen Leuten kann man nicht leben.

Zu Hause hängte ich meine nassen Sachen an den Nagel. Ich wußte nicht, was ich machen sollte. Ich wußte *einfach* nicht, was ich machen sollte. Ich war am Boden wie noch nie. Ich ließ die M.S.-Jungs laufen. Ich tanzte, bis ich kochte, vielleicht zwei Stunden, aber dann wußte ich immer noch nicht, was ich machen sollte. Ich versuchte es mit Schlafen. Ich wälzte mich ewig und drei Stunden auf dem ollen Sofa. Als ich wach wurde, war draußen der dritte Weltkrieg ausgebrochen. Ein Panzerangriff oder was. Ich jumpte von dem ollen Sofa und an die Tür, da tobte so ein Vieh mit Raupenketten und Stahlschild genau auf mich zu. Ein Bulldozer. Hundertfünfzig PS. Ich brüllte schätzungsweise wie ein Idiot. Einen halben Meter vor mir kam er zum Stehen, mit abgewürgtem Motor. Der Kerl da, der Fahrer, kam von seinem Bock. Ohne eine Warnung setzte er mir eine rechte Gerade an, daß ich zwei Meter in meine Laube flog. Ich machte sofort eine Rolle rückwärts. Damit kommt man am schnellsten wieder auf die Beine. Ich zog den Kopf ein zum Gegenangriff.

Ich hätte ihm einen linken Haken angesetzt, daß er nicht wieder geworden wäre. Ich glaube, ich sagte noch nicht, daß ich ein echter Linkshänder war. Das war ungefähr das einzige, was Mutter Wiebau mir nicht abgewöhnen konnte. Sie machte alles mögliche, um es zu schaffen, und ich Idiot machte auch noch mit. Bis ich anfing zu stottern und ins Bett zu machen. An dem Punkt sagten die Ärzte stopp. Ich durfte wieder mit der Linken schreiben, hörte auf zu stottern und wurde wieder trocken. Der ganze Erfolg war, daß ich später mit der Rechten ganz gut zurechtkam, viel besser zum Beispiel als andere mit der Linken. Aber die Linke lag doch immer vorn. Bloß, dieser Panzerfahrer dachte gar nicht daran, die Fäuste hochzunehmen. Er war plötzlich selber käseweis, setzte sich auf die Erde. Dann sagte er: 'ne Sekunde später, und du warst ein Brei und ich im Zet*. Und ich hab drei Kinder. – Bist du wahnsinnig, hier noch zu wohnen?

Der machte Baufreiheit – mit seinem Schrapper für die nächsten Neubauten. Ich sah wahrscheinlich ziemlich alt aus. Ich nuschelte: Ein paar Tage noch, und ich bin hier weg.

*Zuchthaus

Soviel war mir in der Nacht klargeworden, daß ich in Berlin nichts mehr zu bestellen hatte. Ohne Charlie hatte ich da nichts mehr zu bestellen. Darauf lief es doch hinaus. Zwar hatte *sie* mit der Küsserei angefangen. Aber langsam begriff ich, daß ich trotzdem zu weit gegangen war. Ich als Mann hätte die Übersicht behalten müssen.

Er sagte noch: Drei Tage noch. Bis nach Weihnachten. Dann ist Schluß, klar?!

Dann schwang er sich wieder auf seinen Panzer. Ich war zwar entschlossen, so schnell wie möglich die Spritze fertigzumachen, aber drei Tage, das war knapp. Und blaumachen wollte ich nicht. Ich wollte nicht noch im letzten Moment ein Risiko eingehen durch Blaumachen. Zaremba wäre doch glatt nach vierundzwanzig Stunden aufgetaucht und hätte nach dem Rechten geschnüffelt. Oder Addi. Ich war immerhin sein größter Erziehungserfolg. Ich wollte die Spritze fertigmachen, sie Addi auf den Tisch knallen und dann abdampfen nach Mittenberg und von mir aus die Lehre zu Ende machen. So weit war ich. Ich weiß nicht, ob das einer versteht, Leute. Wahrscheinlich war mir einfach bloß mulmig wegen Weihnachten. Ich stand zwar nie besonders auf diesen Weihnachtsklimbim und das. »O du fröhliche« und Bäumchen und Kuchen. Aber mulmig war mir doch irgendwie. Wahrscheinlich ging ich auch deswegen *gleich* zur Post, um zu sehen, ob im Schließfach was von Willi war. Sonst ging ich immer erst nach Feierabend.

Mir wurde sofort komisch, als im Schließfach ein Eilbrief von Willi war. Ich riß ihn auf. Ich wurde nicht wieder. Der wichtigste Satz war . . . mach mit mir, was du willst. Ich hab es nicht ausgehalten. Ich hab deiner Mutter gesagt, wo du bist. Daß du dich nicht wunderst, wenn sie auftaucht. Der Brief war zwei Tage gegangen. Ich wußte, was ich zu tun hatte. Ich machte sofort kehrt. Wenn sie den Frühzug in Mittenberg nahm, hätte sie schon dasein müssen, Wegezeit eingerechnet. Folglich hatte ich noch eine Chance bis zum

Abendzug. Ich kaufte einen Armvoll Milchtüten, weil Milch am einfachsten satt macht, und schloß mich in der Laube ein. Ich verhängte alle Fenster. Vorher machte ich draußen noch einen Zettel an: Bin gleich wieder da!
5 Im Fall aller Fälle. Das konnte auch für den nächsten blöden Bulldozer gut sein, dachte ich. Dann stürzte ich mich auf meine Spritze. Ich fing an zu schuften wie irr, ich Idiot.

»Am Montag, einen Tag vor Weihnachten, kam er nicht zur Arbeit. Wir waren nicht besonders sauer deswegen.
10 Es war unwahrscheinlich mild, und wir konnten den Tag gut nutzen, aber wir hatten den Jahresplan längst in der Tasche. Außerdem fehlte Edgar das erste Mal, seit wir ihn wiedergeholt hatten.«

Das war mein Glück, oder wie man das nennen soll. So
15 ziemlich die einzige von meinen Rechnungen, die aufging. Ich begreife zum Beispiel nicht mehr, warum ich mit meiner Spritze so sicher war. Aber ich war tatsächlich so sicher wie nie. Der Gedanke mit der Hydraulik war so logisch wie nur was. Dieser Farbnebel beim Spritzen kam durch die
20 Druckluft. Fiel die weg und man brachte den nötigen Druck ohne Luft, war das Ding gelaufen. Blöd war bloß, daß ich auf die Art keine Zeit mehr hatte, mir die nötige Düse anzufertigen. Ich mußte bis Feierabend warten, am besten bis es dunkel wurde, und dann die von Addi klauen.
25 Addis Spritze lag abgeschrieben unter unserem Salonwagen. Mein nächstes Problem war, die nötigen PS ranzuschaffen für die beiden Druckzylinder. Zum Glück hatte ich tatsächlich einen E-Motor[*] von gut zwei PS auftreiben können. Den mußte ich sogar noch drosseln. Ich weiß   Elektromotor
30 nicht, ob sich einer vorstellen kann, was zwei PS anrichten können, wenn sie losgelassen sind. Vielleicht denkt auch einer, das Ganze war eine Spielerei oder was. Hobbybeschäftigung. Das ist Quatsch. Was Zaremba gesagt hatte,

war richtig. Das Ding wäre eine echte Sensation gewesen, technisch und ökonomisch. Ungefähr in der Art wie der Vorderradantrieb bei Autos seinerzeit, wenn einer weiß, was das ist. An sich sogar noch eine Stufe höher. Es konnte einen berühmt machen, jedenfalls in der Fachwelt. Ich wollte es Addi auf den Tisch knallen und sagen: Drück mal auf dieses Knöpfchen hier.

Schätzungsweise wäre er nicht wieder geworden. Dann hätte ich die Sache mit Charlie in Ordnung gebracht und wäre dann abgedampft. Ich meine, ich hätte sie ihm natürlich nicht *wirklich* auf den Tisch geknallt. Dazu war sie langsam zu groß. Sie sah langsam aus wie eine olle Jauchepumpe mit Windantrieb. Ich hatte zwar alles, was ich brauchte, bloß nichts paßte richtig zusammen. Ich *mußte* einfach anfangen zu pfuschen. Sonst wäre ich nie im Leben fertig geworden. Am meisten fehlte mir eine elektrische Bohrmaschine. Außerdem hatte der Motor natürlich dreihundertachtzig Volt. Ich nahm an, er war aus einer alten Drehmaschine. Das heißt, ich mußte die zweihundertzwanzig in der Laube erst hochtransformieren. Ich hoffte bloß, daß der Trafo in Ordnung war, den ich hatte. Irgendein Meßgerät hatte ich nicht. Das war wahrscheinlich ein weiterer Nagel zu meinem Sarg. Und Zeit, eins irgendwo aufzureißen, hatte ich schon gar nicht. Außerdem liegen Meßgeräte nicht so rum wie ein oder zwei alte LKW-Stoßdämpfer. Die hatten übrigens auch nicht gerade rumgelegen, und alt waren sie vielleicht auch nicht, aber man konnte doch rankommen, wenn man wollte. Ohne die Stoßdämpfer wäre ich einfach aufgeschmissen gewesen. Die Mäntel hätten zwar dicker sein müssen, für den Druck. Notfalls wollte ich deswegen die Düse aufbohren. Das hätte zwar den Strahl dicker gemacht, aber ich wollte sowieso mit Ölfarbe anfangen. Gegen zwölf war ich so weit, daß ich die Düse brauchte zum Einpassen. Ich robbte los in Richtung Baustelle. Ich war nicht der Meinung, daß ich schon

Die neuen Leiden des jungen W.

fertig war und daß der erste Versuch gleich klappen würde. Aber auf die Art hatte ich noch die Nacht lang Zeit zum Verbessern. Ich war wieder ruhiger. Mutter Wiebau konnte höchstens am nächsten Vormittag auftauchen. Sie hatte
5 mir noch eine Chance gegeben. Auf dem Bau war alles dunkel. Ich tauchte unter unseren Salonwagen und fing an, die Überwurfmutter zu lösen. Blöderweise hatte ich kein anderes Universalwerkzeug als die halbvergammelte Rohrzange. Außerdem saß die Obermutter fest wie Mist. Ich riß
10 mir fast den halben Arsch auf, bis ich sie locker hatte. In dem Moment hörte ich, daß Zaremba im Wagen war, und zwar mit einer Frau. Ich sagte es schon. Wahrscheinlich hatte ich sie aufgestört. Jedenfalls, als ich unter dem Wagen vorkroch, stand er vor mir. Er knurrte: No?
15 Er stand direkt vor mir und starrte mich an. Allerdings stand er da im Licht, das aus dem Wagen kam. Er hatte dieses kleine Beil von uns in der Hand. Ich nahm damals an, er war einfach geblendet. Aber er hatte dieses Grinsen in seinen Schweinsritzen. Auf *die* Entfernung hat er mich
20 einfach sehen müssen. Ich machte zwar keine Bewegung. Ich kann nur jedem raten, in dieser Situation einfach keine Bewegung zu machen. Meiner Meinung nach war Zaremba der letzte Mensch, der mich gesehen hat und der auch genau wußte, was gespielt wurde.
25 Auf dem ganzen Rückweg sah ich keinen Schwanz. Um die Zeit hätte man auch nach Mittenberg gehen können. Überhaupt sah Berlin nach acht genau wie Mittenberg aus. Alles hockte vor der Röhre*. Und die paar Halbstarken verkrümelten sich in den Parks oder Kinos oder sie waren Sportler
30 und zum Training. Kein Schwanz auf der Straße.
Gegen zwei hatte ich die Düse im Stutzen. Ich füllte die Hälfte der Ölfarbe in die Patrone. Dann überprüfte ich noch mal die Schaltung. Ich sah mir überhaupt das ganze Ding noch mal an. Ich sagte wohl schon, wie es aussah. Es
35 war normalerweise technisch nicht vertretbar. Aber mir

vor dem
Fernseher

kam es auf das Prinzip an. Das war schätzungsweise mein letzter Gedanke, bevor ich auf den Knopf drückte. Ich Idiot hatte doch tatsächlich den Klingelknopf von der Laube abgebaut. Ich hätte jeden normalen Schalter nehmen können. Aber ich hatte den Klingelknopf abgebaut, bloß damit ich zu Addi sagen konnte: Drück mal auf den Knopf hier.

Ich war vielleicht ein Idiot, Leute. Das letzte, was ich merkte, war, daß es hell wurde und daß ich mit der Hand nicht mehr von dem Knopf loskam. Mehr merkte ich nicht. Es kann nur so gewesen sein, daß die ganze Hydraulik sich nicht bewegte. Auf die Art mußte die Spannung natürlich ungeheuer hochgehen, und wenn einer dann die Hand daran hat, kommt er nicht wieder los. Das war's. Macht's gut, Leute!

»Als Edgar auch am Dienstag nicht kam gingen wir gegen Mittag los.

Volkspolizei

Auf dem Grundstück war die VP*. Als wir sagten, wer wir sind, sagten sie uns, was los war. Auch, daß es keinen Zweck hatte, ins Krankenhaus zu gehen. Wir waren wie vor den Kopf geschlagen. Sie ließen uns dann in die Laube. Das erste, was mir auffiel, war, daß die Wände voller Ölfarbe waren, vor allem in der Küche. Sie war noch feucht. Es war dieselbe, mit der wir die Küchenpaneele machten. Es roch nach der Farbe und nach verschmortem Isolationsmaterial. Der Küchentisch lag um. Sämtliches Glas lag in Scherben. Unten lagen ein verschmorter Elektromotor, verbogene Rohrenden, Stücke von Gartenschlauch. Wir sagten denen von der VP, was wir wußten, aber eine Erklärung hatten wir auch nicht. Zaremba sagte noch, aus welchem Betrieb Edgar gekommen war. Dann war Schluß.

Wir machten an dem Tag keinen Handschlag mehr. Ich schickte alle nach Hause. Bloß Zaremba ging nicht. Er fing an, unter unserem Bauwagen unsere alte Spritze

Die neuen Leiden des jungen W.

vorzuziehen. Er untersuchte sie, und dann zeigte er mir, daß die Düse fehlte. Wir gingen sofort zurück auf Edgars Grundstück. Die Düse fanden wir in der Küche in einem Stück alten Gasrohr. Ich suchte zusammen, was sonst noch rumlag, auch das Kleinste. Auch, was auf dem Tisch festgeschraubt war. Zu Hause reinigte ich es von der Ölfarbe. Über Weihnachten versuchte ich, die ganze Anordnung zu rekonstruieren. Ein besseres Puzzlespiel. Ich schaffte es nicht. Wahrscheinlich fehlte doch noch die Hälfte der Sachen, vor allem ein Druckbehälter oder etwas in der Art. Ich wollte noch mal in die Laube, aber da war sie schon eingeebnet.«

Schätzungsweise war es am besten so. Ich hätte diesen Reinfall sowieso nicht überlebt. Ich war jedenfalls fast so weit, daß ich Old Werther verstand, wenn er nicht mehr weiterkonnte. Ich meine, ich hätte nie im Leben freiwillig den Löffel abgegeben. Mich an den nächsten Haken gehängt oder was. Das nie. Aber ich wär doch nie *wirklich* nach Mittenberg zurückgegangen. Ich weiß nicht, ob das einer versteht. Das war vielleicht mein größter Fehler: Ich war zeitlebens schlecht im Nehmen. Ich konnte einfach nichts einstecken. Ich Idiot wollte immer der Sieger sein.

»Trotzdem. Edgars Apparatur läßt mich nicht los. Ich werde das Gefühl nicht los, Edgar war da einer ganz sensationellen Sache auf der Spur, einer Sache, die einem nicht jeden Tag einfällt. Jedenfalls keine fixe Idee. Einwandfrei.«
»Und die Bilder?! Glauben Sie, daß davon noch irgendwo eins zu finden ist?«
»Die Bilder? – Daran hat keiner mehr gedacht. Die waren voller Farbe. Die werden wahrscheinlich mit eingeebnet sein.«
»Können Sie welche beschreiben?«

»Ich versteh nichts davon. Ich bin nur einfacher Anstreicher. Zaremba meinte, sie wären nicht von schlechten Eltern. Kein Wunder, bei dem Vater.«

»Ich bin nicht Maler. Ich war nie Maler. Ich bin Statiker.
Ich hab Edgar seit seinem fünften Lebensjahr nicht gesehen. Ich weiß nichts über ihn, auch jetzt nicht. Charlie,
eine Laube, die nicht mehr steht, Bilder, die es nicht
mehr gibt, und diese Maschine.«

»Mehr kann ich Ihnen nicht sagen. Aber wir durften ihn
wohl nicht allein murksen lassen. Ich weiß nicht, welcher Fehler ihm unterlaufen ist. Nach dem, was die Ärzte sagten, war es eine Stromsache.«

Kommentar

Zeittafel

26.10.1934 Ulrich (Richard) Plenzdorf wird als Sohn von Martha und Ewald Plenzdorf in Berlin-Kreuzberg geboren. Die Eltern »waren zwar beide Kommunisten, aber in keiner Weise theoretisch beschlagene. Sie waren's mit dem Herzen [. . .]. Meine Mutter kam, wie so viele Berliner, aus Schlesien, direkt vom Dorf, Vater war gelernter Maschinenbauer« (Krätzer 2002, S. 157). Beide betätigten sich im antifaschistischen Widerstand; die Mutter wurde inhaftiert und kam für ein Jahr ins KZ Mohringen.

ab 1946 Schulbesuch in West-Berlin.

1949–1952 Besuch der Schulfarm Scharfenberg in Himmelpfort bei Fürstenberg (Internat; 1952 aufgelöst).

1950 Umzug nach Ost-Berlin.

1954 Abitur in Berlin-Lichtenberg.

1954/55 Studium des Marxismus-Leninismus am Franz-Mehring-Institut Leipzig, Abbruch nach zwei Semestern, Mitarbeit am Hochschulkabarett. »Was da lief, war dermaßen langweilig, dermaßen stur und verkrustet; mit Studium hatte das nichts zu tun. Das war reine Paukerei und Lehrbuchabschreiberei. Katastrophal, nicht auszuhalten. Zunächst hörte ich auf zuzuhören, dann kam der Entschluss wegzugehen. Es war allerdings nicht ganz einfach, wegzukommen: ML [Marxismus-Leninismus] kippen, das war Verrat. [. . .] Alles, was ich an Energie hatte, habe ich damals in dieses Kabarett gesteckt, geschrieben, gespielt, ›inszeniert‹« (Krätzer 2002, S. 161 f.).

1955 Heirat mit Helga geb. Lieske.

1955–1958 Bühnenarbeiter bei der DEFA (»Deutsche Film-AG«; die einzige ostdeutsche Filmfirma). »[. . .] eigentlich habe ich, was ich vom Filmemachen weiß, nur in diesen drei Jahren als Bühnenarbeiter gelernt. Auch nicht später an der Hochschule, sondern nur in diesen drei Jahren« (Krätzer 2002, S. 162).

ab 1958 Mitglied der SED.

1958/59 Soldat der Nationalen Volksarmee.

1959–1963 Studium an der Filmhochschule Babelsberg.

1964 Szenarist und Dramaturg bei der DEFA.
Mir nach, Canaillen! (Drehbuch), nach Joachim Kupsch, *Eine Sommerabenddreistigkeit*, Regie: Ralf Kirsten, Hauptrolle: Manfred Krug.

1965/90 *Karla* (Drehbuch). Der erste eigenständige Film wird in der Folge des 11. Plenums verboten (Co-Autor und Regie: Hermann Zschoche; Uraufführung 1990).

1968 Erster Entwurf zu den *Neuen Leiden des jungen W.*

1969 *Weite Straßen – stille Liebe* (Drehbuch), nach Hans-Georg Lietz Prosaband *Endlose Straßen*, Regie: Hermann Zschoche.

1970 *Kennen Sie Urban?* (Drehbuch), Regie: Ingrid Meyer-Reschke; ausgezeichnet mit dem Kunstpreis des Freien Deutschen Gewerkschaftsbundes und dem Heinrich-Greif-Preis.

1972 *Die neuen Leiden des jungen W.* (Prosafassung), im März in *Sinn und Form* veröffentlicht.
Die neuen Leiden des jungen W. (Stück), Uraufführung: 18.5., Landestheater Halle, Regie: Horst Schönemann.
Ablehnung der Szenarien *Zum Beispiel Josef* (nach dem gleichnamigen Roman von Herbert Otto; Neufassung von Günter Karl wurde 1973 verfilmt) und *Buridans Esel* (nach Günter de Bruyn) aus ideologischen Gründen.
Mitglied des PEN-Zentrums der DDR.

1973 *Die neuen Leiden des jungen W.* (erweiterte Prosafassung; Hinstorff Verlag, Rostock; Suhrkamp Verlag, Frankfurt/M.)
Diskussion über das Buch in *Sinn und Form* und anderen Zeitungen und Zeitschriften; die Theaterfassung ist 1973/74 das meistgespielte Stück auf west- und ostdeutschen Bühnen.
Legende von Paul und Paula (Drehbuch), Regie: Heiner Carow, Hauptrollen: Angelica Domröse und Winfried Glatzeder (Uraufführung: BRD 1974).
Liebe mit 16 (Drehbuch), zusammen mit Hermann Zschoche und Gisela Steineckert.
Aufnahme in den Schriftstellerverband der DDR.

Heinrich-Mann-Preis.

1974 *Legende von Paul und Paula. Filmerzählung* (Suhrkamp Verlag).

Die Leiden des jungen W. (Hörspiel), Erstsendung: 22.7.1974, Regie: Richard Hey, Produktion des Bayerischen Rundfunks mit dem Hessischen Rundfunk und dem Süddeutschen Rundfunk.

Der alte Mann, das Pferd, die Straße (Szenarium), nach Martin Stades Novelle *Vetters fröhliche Fuhren*; aus ideologischen Gründen abgelehnt.

Ulrich Plenzdorf, Klaus Schlesinger und Martin Stade laden zur Mitarbeit an der Anthologie *Berliner Geschichten* ein, die ohne staatliche Kontrollinstanzen entstehen sollte. Die Anthologie durfte in der DDR nie erscheinen (dokumentiert in *Berliner Geschichten* 1995), es erfolgte bald eine systematische Überwachung durch das Ministerium für Staatssicherheit im »Operativen Schwerpunkt *Selbstverlag*«. Ulrich Plenzdorf schreibt für diesen Band die Erzählung *kein runter kein fern* (1978 Ingeborg-Bachmann-Preis; der Text bleibt in der DDR ungedruckt; Erstausgabe: Suhrkamp Verlag 1984).

1975 *Buridans Esel* (Stück), 46 Szenen nach Günter de Bruyns gleichnamigen Roman, Uraufführung: Leipziger Kammerspiele, Regie: Gotthart Müller.

1976 *Die neuen Leiden des jungen W.* (Fernsehfassung), Erstausstrahlung: ARD, 20.4.1976, Regie: Eberhard Itzenplitz.

Protest gegen die Ausbürgerung Wolf Biermanns, Austritt aus der SED.

1977 Beginn des »Operativen Vorgangs *Dramatiker*« (s. Nachwort).

1978 Ingeborg-Bachmann-Preis der Stadt Klagenfurt für die Erzählung *kein runter kein fern* (Erstdruck in: *Klagenfurter Texte. Zum Ingeborg Bachmann-Preis 1978*, hg. v. Hubert Fink, Marcel Reich-Ranicki, Ernst Willner, München 1978).

Karla, Der alte Mann, das Pferd, die Straße. Texte zu Filmen (Henschelverlag, Berlin).

Glück im Hinterhaus (Drehbuch), nach *Buridans Esel* von Günter de Bruyn, Regie: Hermann Zschoche.

VIII. Schriftstellerkongress; Ulrich Plenzdorf und andere renommierte Autoren werden nicht eingeladen.

1979 *Legende vom Glück ohne Ende* (Roman; Hinstorff Verlag, Suhrkamp Verlag).

Protestbrief »An das Präsidium des Schriftstellerverbandes der DDR«, 12.6.1979 (in: Walther 1991, S. 121).

Die Bühnenfassung der *Legende von Paul und Paula* wird kurz vor der Premiere abgesetzt; Protestbrief Ulrich Plenzdorfs an Erich Honecker.

Die Berliner Mitgliederversammlung des Schriftstellerverbandes beschließt den Ausschluss von neun Autoren (darunter Klaus Schlesinger); Protestbrief Ulrich Plenzdorfs an das Präsidium des Schriftstellerverbandes.

1980 *Der König und sein Narr* (Drehbuch), nach dem gleichnamigen Roman von Martin Stade, Regie: Frank Beyer.

1982 Jacob-Kaiser-Preis für das Drehbuch *Es geht seinen Gang oder Mühen in unserer Ebene*, zusammen mit Erich Loest, Regie: Günter Gräwert.

Plenzdorfs »Neue Leiden des jungen W.«, hg. v. Peter J. Brenner, Suhrkamp Verlag, Frankfurt/M. (Materialienband; darin die »Urfassung« des Prosastücks).

1983 *Gutenachtgeschichte* (Erzählung; Suhrkamp Verlag; 1984 im Hinstorff Verlag).

Legende vom Glück ohne Ende (Theaterstück), Uraufführung: Theater der Stadt Schwedt, Regie: Freya Klier.

Insel der Schwäne (Drehbuch), nach dem gleichnamigen Roman von Benno Pludra; Regie (der zensierten Fassung): Hermann Zschoche.

Bockshorn (Drehbuch), nach dem gleichnamigen Roman von Christoph Meckel, Regie: Frank Beyer.

1984 *kein runter kein fern* (Erzählung; Suhrkamp Verlag).

Ein fliehendes Pferd (Drehbuch), nach der gleichnamigen Novelle von Martin Walser; Regie: Peter Beauvais.

1986 *Ein Tag länger als Leben* (Drama), nach dem Roman *Der Tag zieht den Jahrhundertweg* von Tschingis Aitmatow, Uraufführung: 3.10., Maxim-Gorki-Theater, Berlin, Regie: Siegfried Höchst.

Buridans Esel, Legende vom Glück ohne Ende (Henschelverlag).

Filme (Hinstorff Verlag); enthält die Szenarien zu: *Die neuen Leiden des jungen W. Urfassung für den Film, Glück im Hinterhaus, Insel der Schwäne, Bockshorn, Ein fliehendes Pferd; Filme 2* (Hinstorff Verlag); enthält die Szenarien zu: *Karla, Der alte Mann, das Pferd, die Straße, Die Legende von Paul und Paula, Der König und sein Narr, Der Fall Ö.*

1987 *Freiheitsberaubung* (Drama), nach der gleichnamigen Erzählung von Günter de Bruyn; geplante Uraufführung wird abgesetzt.

1988 *Freiheitsberaubung* (Drama), Uraufführung: Theater im Palast, Berlin, Regie: Vera Oelschlegel.

1989 *Zeit der Wölfe* (Drama), nach dem Roman *Die Richtstatt* von Tschingis Aitmatow, gleichzeitige Uraufführung am 29.9. am Hans-Otto-Theater Potsdam, Regie: Gert Jurgons, an der Volksbühne Berlin, Regie: Siegfried Höchst, und am Landestheater Altenburg, Regie: Gert Hof.

1990 *Der Fall Ö.* (Drehbuch), frei nach Motiven der Erzählung *König Ödipus* von Franz Fühmann, Regie: Rainer Simon.
      kein runter kein fern (Stück), Uraufführung: 13.1., Deutsches Theater, Berlin, Regie: Michael Jurgons.
      Freiheitsberaubung (Drama), nach der gleichnamigen Erzählung von Günther de Bruyn (Suhrkamp Verlag).
      Der Verdacht (Drehbuch), nach der Erzählung *Unvollendete Geschichte* von Volker Braun, Regie: Frank Beyer.
      Hüpf, Häschen hüpf! (Drehbuch), Erstausstrahlung: ARD, 3.10.1991, Regie: Christian Steinke.

1991 *Ein Tag, länger als ein Leben. Zeit der Wölfe. Zwei Stücke nach Romanen von Tschingis Aitmatow* (Suhrkamp Verlag).
      Aller Tage Abend (Szenarium), nach der Novelle *Galgenfrist* von Mathias Körner.

1992 *Vater Mutter Mörderkind* (Drehbuch), Erstausstrahlung: ZDF, 1.2.1993, Regie: Heiner Carow.

1993 *Mörderkind* (Theaterfassung von *Vater Mutter Mörder-*

kind), Uraufführung: 30.12., Kleist-Theater, Frankfurt/Oder, Regie: Armin Petras.

1994 *Vater Mutter Mörderkind. Szenarium* (Hinstorff Verlag).
Das andere Leben des Herrn Kreins (Drehbuch), nach dem Theaterstück *Der Profi* von Dusan Kovacevic, Regie: Andreas Dresen, Erstausstrahlung: ORB, 11.8.
Plenzdorf löst Jurek Becker als Drehbuchautor für die ARD-Serie *Liebling Kreuzberg* mit Manfred Krug ab.
Hallo Ed! (fiktiver Brief, Prosatext über Weimar) In: *Merian* 4, April 1994, S. 98 f.

1995 *Berliner Geschichten. »Operativer Schwerpunkt Selbstverlag«. Eine Autoren-Anthologie: wie sie entstand und von der Stasi verhindert wurde*, hg. v. Ulrich Plenzdorf, Klaus Schlesinger und Martin Stade (Suhrkamp Verlag).
Der Trinker (Drehbuch), nach dem gleichnamigen Roman von Hans Fallada, Regie: Tom Toelle.
Matulla und Busch (Drehbuch), nach dem gleichnamigen Roman von Klaus Schlesinger, Regie: Matti Geschonneck.
Revolte, Reform, Rewü (Politrevue), Uraufführung: 6.3., Theater Stuttgart.
Fischessen mit Folgen (Drehbuch), nach einer Idee von Dorothee Dhan. Eintritt in die Akademie der Künste Berlin Brandenburg.

1996 *Der Erwählte* (Rohdrehbuch), nach dem gleichnamigen Roman von Thomas Mann; unrealisiert.

1997 *Liebling, Prenzlauer Berg* (Aufbau Taschenbuchverlag, Berlin).
»Erfurter Erklärung« fordert eine politische Umorientierung (mit Ulrich Plenzdorf unterzeichnen Günter Grass, Stefan Heym, Walter Jens u. a.).

1998 *Abgehauen* (Drehbuch), Dokumentarspiel nach der Autobiographie von Manfred Krug, Regie: Frank Beyer.
Der Laden (Drehbuch, zusammen mit Jo Baier), dreiteiliger Fernsehfilm, Regie: Jo Baier.

1999 *Eins und eins ist uneins* (*Revolte Reform Revue und andere Texte*, Eulenspiegel Verlag, Berlin).
Rote Hände (Drehbuch), nach Kazimierz Moczarski, *Interview mit einem Henker*; unrealisiert.

Jauchzet, frohlocket (Drehbuch), nach John Erpenbeck, *Der Aufschwung*; unrealisiert.

2001 *Der König und sein Narr* (Drama), nach dem gleichnamigen Roman von Martin Stade, Uraufführung: 27.1., Theater Potsdam.

4 Tage im Mai (Drehbuch), nach Uwe Johnson, *Ingrid Babendererde*; unrealisiert.

2002 *Die ohne Segen sind* (Roman; Ravensburger Buchverlag), Übersetzung von Richard van Camps *The Lesser Blessed*, ausgezeichnet mit dem Deutschen Jugendbuchpreis.

Die neuen Leiden des jungen W. und andere Stücke. Stücke und Materialien (Suhrkamp Verlag; enthält außerdem die Theaterfassungen *kein runter kein fern* und *Mörderkind* und ein Interview).

2004 Gastdozentur am Deutschen Literaturinstitut der Universität Leipzig.

2005 *Noelia oder Fidel wartet nicht* (Drehbuch zusammen mit Rudolf Steiner).

2007 Ulrich Plenzdorf stirbt am 9. August in einem Krankenhaus bei Berlin.

Text- und Entstehungsgeschichte

Als 1972 in der von der Ostberliner Akademie der Künste herausgegebenen Zeitschrift *Sinn und Form* – 200 Jahre nach dem (literarischen) Selbstmord Werthers – eine erste gedruckte Fassung von Ulrich Plenzdorfs *Die neuen Leiden des jungen W.* erschien, war wohl kaum zu ahnen, dass jene 60 Druckseiten bald zum meistgespielten, -rezensierten und -diskutierten Text werden sollten, und das in Ost- wie in Westdeutschland. Ein Buch, das »Kultstatus« erlangte und auch seinen Autor in einen solchen erhob – ganz so, wie es einst den literarischen Vorgängern geschah: Johann Wolfgang Goethe mit *Die Leiden des jungen Werthers* (1774) und Jerome D. Salinger mit *The Catcher in the Rye* (1951; dt. *Der Fänger im Roggen*). Geschichten vom Scheitern, die zu Erfolgsstorys wurden.

»Die Goethe'schen Texte«, berichtet Ulrich Plenzdorf, »sind mir in der Schule durch Überinterpretation und Aufsatzschreiben gehörig verleidet worden. Nun war das natürlich ideologisierter Deutschunterricht. Mir wurde dieser Goethe-Text im Berlin der 1950er-Jahre von den Lehrern so auseinandergenommen, dass ich jedes Verhältnis dazu verloren hatte, dass kein Genuss mehr dabei war. [. . .] Ich hatte den *Fänger im Roggen* irgendwie in die Klauen gekriegt. Und dann hat es für mich einen gehörigen Reiz ausgeübt, Goethe und Salinger zusammenzudenken, das wollte ich schon mal testen. Und siehe, im Grunde genommen sind es dieselben Geschichten« (Krätzer 2002, S. 187 f.).

Textfassungen *Die neuen Leiden des jungen W.* gibt es in verschiedenen Fassungen. In Anlehnung an den von Peter J. Brenner herausgegebenen Materialienband lassen sich folgende Stufen nachvollziehen:

1. Manuskript von 1968/69: »Urfassung« als Filmszenarium. Die Manuskriptfassung trägt den Eingangsstempel »13.7.70«, Titel: *Die Leiden des jungen W. Scenarium*. Erstdruck: Brenner Frankfurt/M. 1982, S. 71–138.

2. Erste Prosafassung (mit dem Vermerk »9.4.71, 14.40 MEZ«). Erstdruck in: *Sinn und Form* 2/1972, S. 254–310.

3. Stück in zwei Teilen (geschrieben Januar bis Mai 1972). Ur-

aufführung: 18.5.1972, Landestheater Halle, Regie: Horst Schönemann. Druck in: *Die Legende von Paul und Paula. Die neuen Leiden des jungen W. Ein Kino- und ein Bühnenstück.* Henschelverlag, Berlin 1974; *Spectaculum* 20. Suhrkamp Verlag, Frankfurt/M. 1974. (Der Erstdruck erfolgte als »unverkäufliches Bühnen-Manuskript« im Henschelverlag, Berlin 1972. Ein durchaus üblicher Vorgang; von diesem Verlag bezogen die Theater ihre Texte.)

4. Prosafassung (ohne die in der Sekundärliteratur anzutreffende Genrebezeichnung »Roman«). Erstdruck: Hinstorff Verlag, Rostock 1973; Suhrkamp Verlag, Frankfurt/M. 1973.

5. Literarisches Drehbuch. Manuskript Mai 1973 (Zusammenarbeit mit Heiner Carow; unrealisiert).

6. Hörspielfassung. Produktion des Bayerischen Rundfunk mit dem Hessischen Rundfunk und dem Süddeutschen Rundfunk. Erstsendung: 22.7.1974, Regie: Richard Hey.

7. Fernsehfassung. Eine Produktion der ARTUS-Film Produktionsgesellschaft und des Südwestfunks. Erstsendung: 20.4.1976, ARD, Regie: Eberhard Itzenplitz.

Die Textgenese hatte kulturpolitische Gründe. Mitte der 1960er-Jahre war die Staats- und Parteiführung der DDR doppelt unzufrieden mit den Künstlern: Zum einen hatte sich der »Bitterfelder Weg« (1. Bitterfelder Konferenz 1959) mit seiner Forderung, dass die Autoren über die Arbeiter schreiben und die Arbeiter sich als Schriftsteller versuchen sollten, als ästhetische Sackgasse entpuppt; zum anderen entsprachen die entstandenen Kunstwerke aus ideologischen Gründen nicht den Vorstellungen der Parteiführung. Das berühmt-berüchtigte »11. Plenum« der SED (1965) übte vernichtende Kritik an Werken der Gegenwartskunst (insbesondere Film und Literatur). Es folgten Verbote – fast eine ganze Jahresproduktion der DEFA verschwand in den Kellern – und eine verschärfte Zensur. »Die Hauptrolle«, erklärt Ulrich Plenzdorf über die Entstehung der *Neuen Leiden*, hat »äußerer Druck gespielt, will sagen, mehrere Jahre, in denen ich nie ganz das machen konnte, was ich wollte, und ebenso die wiederholte Zurückweisung des Stoffes« (Brenner 1982, S. 178). Die Ablösung Ulbrichts durch Honecker (1971) verband sich mit der Hoffnung auf Liberalisierung, v. a. nachdem auf dem »4. Plenum des Zentralkomitees« jener »Tauwetter«-Satz fiel, von dem die Autoren und Künstler bald den zweiten Teil für sich reklamierten – und den ersten ignorierten: »Wenn man von der festen Position des Sozialismus ausgeht, kann es meines Erachtens auf dem Gebiet von Kunst und Literatur keine Tabus geben.«

Szenarium »Zunächst«, so Ulrich Plenzdorf, »gab es – so um 1968/69 – ein Szenarium. Nach einer langen Durststrecke nach dem ›11.Plenum‹, in der ich zwei Filme, sozusagen Überlebensfilme, geschrieben hatte, *Kennen Sie Urban* und *Weite Straßen, stille Liebe*, gab es einfach nur wenig Alternativen: Weitermachen oder in den Westen gehen, Stillhalten oder gar nix machen oder weiß ich was. Jene Überlebensfilme waren Alltagsfilme, praktisch ohne Konflikt, dennoch gab es in beide Filmen Eingriffe. Ein Selbstmord durfte nicht vorkommen, ein Knastaufenthalt auch nicht.

Die *Neuen Leiden* waren eine Reaktion darauf; ich hatte mir vorgenommen: Du schreibst ohne Kompromisse und lässt dir nicht mehr reinreden. Das erste Manuskript wurde bei der DEFA abgelehnt. Daraufhin schrieb ich es als Prosa, die zweite stark radikalisierte und in Rollenprosa gesetzte Fassung und versuchte dann, es mehreren Verlagen anzubieten, die lehnten ab. So habe ich es in die Schublade getan, und das war auch keine schlechte Entscheidung.

Mit Honeckers Machtantritt konnte ich es *sofort* aus der Schublade ziehen und siehe da, der Text konnte in *Sinn und Form* gedruckt werden und der Hinstorff Verlag bekam ebenfalls grünes Licht. Ein Schreibjahr später hätte es diese Chance schon nicht mehr gegeben. Hinstorff hatte sogar die Erlaubnis, mir mehr Seiten zu geben, als das Manuskript hatte. Ich schrieb die dritte, verlängerte und seitdem immer wieder gedruckte Fassung.

Konrad Wolf, der Chef der entsprechenden Arbeitsgruppe bei der DEFA war, ahnte, dass die DEFA den Stoff aber wieder nicht produzieren würde. Deshalb brachte er den Text nach Halle, zu Theater-fassung seinem Freund Horst Schönemann. So entstand die Theaterfassung. [. . .] Das Theater galt nicht als Massenmedium. Da sagte man sich: Das sehen nicht so viele, also lasst sie machen. Das

Stück wurde dann zwar nicht in allen Bezirken gespielt, manchmal auch abgesetzt mit Sanktionen für die Macher, als besonders linientreu galten Dresden, Rostock, doch in anderen Bezirken zeitigte es seine Wirkung. Allerdings nicht so, wie ein DEFA-
Film hätte wirken können.

[. . .] Natürlich fragte ich dann bei der DEFA nach: Nun können
wir doch einen Film machen. Das Buch ist durchgesetzt, es gibt
das Theaterstück, es hat einen Riesenbeifall gegeben. Und dann
wurde geeiert. Es wurde hin- und hergeeiert. Das Projekt wurde
nach oben geschoben, wurde wieder zurückgeschoben, doch das
›O.k.‹ zur Produktion wurde nicht gegeben. [. . .] Sachliche Argumente gab es, wie immer, nicht. Der Hauptanwurf war: ›So
sind unsere Jugendlichen nicht!‹ Und: ›Wo ist denn der Ausweg?‹
So was durfte eben nicht sein: ein letales Ende bei einem DE-
FA-Film – unmöglich! [. . .]

Und so landete die Theaterfassung im Westen. Dass der Film Film
dann dort produziert wurde, in München, das habe ich nur Leuten aus dem Henschelverlag und der Cleverness des Münchener
Produzenten zu verdanken. Der Henschelverlag hat das Stück
ohne Genehmigung angeboten – schließlich war der Prosatext
im Westen auf dem Markt, dachten sie wohl – und der Produzent
schlug sofort zu und zahlte auch sofort. Das war das Entscheidende: Der war schneller mit dem Rechteerwerb als die Büro-
kratie reagieren konnte. [. . .] Und als die dann dem Henschelverlag auf die Finger schlug, war schon gezahlt, und das Geld
wollten sie nicht wieder hergeben. So entstand der Film mit
Klaus Hoffmann im Westen. [. . .]

Irgendwie waren sie auch in der Falle, mit diesem Satz ›es gibt
keine Tabus mehr‹, und dann gab's noch einen Nebensatz – [. . .]
aber den haben wir immer wohlweislich weggelesen, weil wir
uns ja sonst selbst blockiert hätten. Was sozialistischer Standpunkt bedeutete, wussten wir natürlich – das Gegenteil von ›keine Tabus‹. Aber wir haben auf die ›Tabus‹ gesetzt. Es herrschte ja
nach diesem Tabu-Satz in den Kulturprovinzen einige Verunsi-
cherung. Keiner wusste so richtig: Wie war denn das? Was soll
man denn jetzt beachten? Keine Tabus? Oder den sozialistischen
Standpunkt? Oder beides? Das war die Lücke und die Cleveren
unter den Theaterleuten stießen da rein, die kannten ihre Kreis-

und Bezirksgewaltigen und haben diese Schwachstelle ausgenutzt. So etwa funktionierte das« (Krätzer 2002, S. 176 ff., S. 182).

Unterschiede in den Textfassungen

Inhaltliche Unterschiede

Die verschiedenen Textfassungen unterscheiden sich nicht nur hinsichtlich ihrer Genre, es gibt auch handfeste inhaltliche Differenzen. Die »Urfassung« lässt Edgar nicht durch einen Unfall in Lebensgefahr geraten, sondern durch einen Suizidversuch, den er aber überlebt. Auch gibt es weitere Anlehnungen an Goethes *Werther*, der Text endet allerdings in allseitigem Happyend: Edgar kehrt als von der Brigade, der »Gesellschaft« und insbesondere von den Mädchen der Kleinstadt anerkannter Held in die heimatliche Provinz zurück; Charlie (die hier noch Charlotte heißt) ist »nicht mehr gefragt«. Die Handlung wird chronologisch erzählt und, da Edgar noch am Leben ist, ohne die selbstkritischen Kommentare des Protagonisten. Eine interessante Akzentuierung erfahren die Malversuche der Freunde: Kaum ist Edgar weg, malt Willi nicht mehr nur »abstrakt« – und erweist sich als der offenbar Begabtere. Der Vater, der in dieser Fassung keine Dialoge hat, wird nicht von Edgar besucht; er ist jedoch offenbar tatsächlich Maler von Beruf und mit bohemienhaften Attributen ausgestattet.

In der nächsten, der ersten Prosafassung (*Sinn und Form*, 1972) kommt es dann zum tödlichen, jedoch nicht mehr suizidär angelegten Ausgang der Geschichte; der aus dem Jenseits kommentierende Edgar tritt auf. In Übereinstimmung mit der »Urfassung« ist Edgars Experiment mit der nebellosen Farbspritze von Erfolg gekrönt – wenn auch nur postum. Mit dem Beruf des Vaters wird gespielt: »Ich weiß nicht, was Sie von Beruf sind«, heißt es in Addis letzten Sätzen. Damit wird die Vaterfigur deutlicher als Projektion Edgars gezeichnet. Im Theaterstück wird der Beruf des Vaters ebenfalls verschwiegen. Der Vater bekennt zwar, sich einst als Laienmaler versucht zu haben, betont jedoch, nie Maler gewesen zu sein. In der Prosafassung wird schließlich Statiker als Beruf genannt und damit ein Kontrastbild zur Wunschprojektion des Sohnes gezeichnet. Die Dialoge des nachforschenden Vaters stehen nun gleichberechtigt neben den Erinnerungsgeschichten und -kommentaren Edgars. In der »verlängerten« Buchfassung kommen einige Szenen hinzu – z. B. die Kritik an DDR-Filmen, der Hugenottentick oder die Linkshänderepisode.

Allen Nuancen nachzugehen ist hier nicht der Ort – es stellt sich aber die Frage nach den Ursachen bzw. Verursachern: gängelnde Zensur von oben oder normale Überarbeitungsvarianten durch den Autor? Die Interpreten kommen dabei zu unterschiedlichen Antworten; am ausführlichsten widmete sich Astrid Schäfer dieser Thematik. Ihre unter dem Titel *Selbstzensur oder Selbstkritik?* (1999) erschienene Untersuchung vergleicht die verschiedenen Fassungen en détail. Ihr Fazit lautet: Jene Änderungen, die als »systemkonform« interpretierbar wären, sind »nur punktuell und haben auf die Gesamtkonzeption des Werkes keine Auswirkung. Die wichtigste Änderung kann meines Erachtens nicht auf die Übernahme autorfremder, vom Staat verordneter Normen während des Produktionsprozesses zurückgeführt werden.« Insbesondere die Änderung des Schlusses »vom eindeutig positiven Ende [. . .] zur offenen Konzeption« läuft »den Ansprüchen der offiziellen Kulturpolitik entgegen und kann daher nicht als Selbstzensur Plenzdorfs betrachtet werden« (Schäfer 1999, S. 191).

Ursachen für die Textgenese

Zumal man die *Neuen Leiden* auch als Gegenentwurf zur so genannten »Ankunftsliteratur«, benannt nach Brigitte Reimanns Erzählung *Ankunft im Alltag* (1961), lesen kann: Zwar hatte man sich in der offiziellen Kulturpolitik vom »Bitterfelder Weg« verabschiedet, die Forderung nach einem »positiven Helden« oder nach einem Protagonisten aus der Arbeiterklasse im Zentrum des künstlerischen Werkes war damit jedoch nicht ad acta gelegt. Die »Ankunftsliteratur« griff die Tradition des Bildungs- und Entwicklungsromans auf und ließ ihre Helden geläutert ihren Platz in der Gesellschaft finden. Die »Urfassung« folgt jenem Erzählschema zumindest noch streckenweise, in der Prosafassung ist dieses nicht nur zurückgenommen, es gibt auch einen selbstkritischen Seitenhieb: Edgar sieht einen Film – offenbar *Kennen Sie Urban?* von Ulrich Plenzdorf –, in dem ein »Typ« in eine »prachtvolle Brigade mit einem prachtvollen Brigadier«

Gegenentwurf zur Ankunftsliteratur

eintritt und zu einem »prachtvollen Jungen« erzogen wird. Es kommt zur Begegnung mit dem Filmautor, der mit »Wut im Bauch« flieht.

Das poetologische Programm Plenzdorfs, »bewußt auf Ausleg-barkeit« (Brenner 1982, S. 178) geschrieben zu haben, wird also von durchaus deutlichen Worten begleitet: Radikalisierung, nicht Glättung, prägt die Buch- im Vergleich zur Urfassung, und dies sowohl in den inhaltlichen Veränderungen als auch denen der Erzählperspektive. Edgars »Ankunft« ist nun nicht mehr die Brigade; es ist eher *Werther*: »Ich kehre in mich selbst zurück und finde eine Welt«, lautet jenes in der Sekundärliteratur immer wieder zitierte Brief- bzw. Tonbandkassiber; es ist das einzige Briefzitat, das nur als Tonbandnachricht überliefert wird und ohne Episode bleibt.

P. Grotzer   Für Peter Grotzer z. B. belegt jenes Zitat zum einen, dass Edgar »das sozialistische Gemeinschaftsideal in Frage stellt, wenn er [diesen] Satz auf Band übermittelt«. Zugleich aber werden Be-denken angemeldet, ob »damit dem Rückzug in die Innerlich-keit, der Verherrlichung des Subjekts das Wort gesprochen« wer-de: »Der Text bietet dazu Anhaltspunkte, doch läßt er sich nicht eindeutig festlegen [. . .]. Ein offener Text widersprach aber der Forderung nach Parteilichkeit, die zum Konzept des sozialisti-schen Realismus gehörte. Das erklärt die mit großer Leiden-schaft geführte öffentliche Auseinandersetzung mit Plenzdorfs Buch in Ostdeutschland« (Grotzer 1991, S. 154).

Rezeptionsgeschichte und Deutungsansätze

Auch um diese – in Westdeutschland ebenfalls – kontrovers geführte Debatte soll es im Folgenden gehen. Vorausgeschickt werden muss, dass, wenn literaturwissenschaftliche und -kritische Stimmen aus der DDR »pur« zitiert werden – insbesondere bei prosozialistischen Äußerungen –, stets auch strategische Momente mitzudenken sind, die eine gewichtige Rolle spielten: »Rettung« des Autors und Bewahrung des Buches oder Stückes vor einem Verbot. Funktionale Texte mit staatskonformen Phraseologismen zu spicken war nicht nur für Opportunisten ein übliches Verfahren. Wer konkret dazu beitragen wollte, dass Bücher veröffentlicht oder Menschen aus dem Gefängnis entlassen wurden, konnte dies oft genug nur in der Maske des »Kaderwelschs«. Astrid Schäfer z. B. zitiert aus einem Verlagsgutachten, das u. a. auch den »sozialistischen Standpunkt« bemüht – um der Druckgenehmigung willen, die prompt erteilt wurde (Schäfer 1999, S. 169).

Da das Verhältnis von »wahrer« und »getarnter« Opportunität der sekundärliterarischen Quellen im Einzelfall nur sehr mühsam und mit fraglichem Resultat hätte bestimmt werden können, wurde darauf verzichtet. Umgekehrt sind Relativierungen ebenfalls angebracht, wenn etwa von westlicher Seite vom »ostdeutschen Leser« die Rede ist – und jenem die gleiche ideologische Engstirnigkeit unterstellt wird wie den offiziellen Linienrichtern.

Innerlichkeit vs. Gemeinschaftsideal

Dem Zitat der »Innerlichkeit« steht eine andere Stelle aus dem *Werther* gegenüber, die im Text gleich zweimal aufgerufen wird. Auch hier geht es um die Entfremdung des menschlichen Daseins: »Es ist ein einförmiges Ding um das Menschengeschlecht. Die meisten verarbeiten den größten Teil der Zeit, um zu leben, und das bißchen, das ihnen von Freiheit übrigbleibt, ängstigt sie so, daß sie alle Mittel aufsuchen, um es loszuwerden.« Edgar zückt jene »Werther-Pistole« beide Male im Zusammenhang mit der Frage nach dem Charakter der Arbeit: gegenüber Charlie, als sie sich nach seinem Broterwerb erkundigt, und gegenüber der Brigade, als diese mit ihrer missglückten Erfindung ein Desaster erlebt.

Im Dialog mit Charlie ging es darum, dass er »mit Malen jedenfalls kein Geld« verdiene, und »eine richtige Arbeit« habe er nicht. Das Künstlerdasein als ideale, vielleicht einzige Möglichkeit unentfremdeter, weil ganzheitlicher Existenz war Edgar durch die Ablehnung an der Kunsthochschule verwehrt worden. »Technischer Zeichner« mutmaßte der Kunstprofessor angesichts der Zeichenproben Edgars – was die väterlichen Gene in einer ganz anderen Richtung als einer romantischen Bohemien bestätigt: Und so wie diese Vater-Projektion nüchternem Tageslicht ausgesetzt wird, wird auch die im Deutschen missverständliche Berufsbezeichnung »Maler« für Edgar auf den Boden der Tat-Sachen geholt: auf den zu streichenden Fußboden der Ausbauwohnungen. Als Anstreicher verdingt sich Edgar, nicht als Kunstmaler. Das zweite Zücken jener »Werther-Pistole« ist der Anfang vom Ende: Edgar beginnt nach der Konfrontation mit der Brigade mit dem Bau des Farbspritzgerätes.

Erinnert sei, dass der Anlass – nicht die Ursache, denn er hatte das »schon lange« vor – für Edgars Ausbruch ebenfalls im Arbeitsalltag lag: Er warf dem Ausbilder den Gegenstand der Kritik auf die Füße: eine metallene Grundplatte, die von den Lehrlingen auch im letzten Lehrjahr noch immer durch Feilen und nicht maschinell zu bearbeiten war – eine »Einstellung aus dem Mittelalter«. Anspruch und Realität klaffen hier nicht nur symbolisch, sondern sehr real auseinander; Edgars Ausbruch entlädt eine lang angestaute Wut und ist nicht (nur) spontane Reaktion. Was auch immer den Lehrlingen im »VEB Hydraulik Mittenberg« an Kenntnissen – außer Feilen – noch vermittelt wurde: Fest steht, dass Edgars tödliche Erfindung eine »hydraulische«
Lösung bieten sollte. Nichtsdestotrotz bot sich für nicht wenige DDR-Kritiker hier eine im Bestreben um gesellschaftlich relevante Nützlichkeit begründete »positive« Lesart an – bis hin zu Girnus, der versuchte, den gebesserten toten gegen den nicht angepassten lebendigen Edgar auszuspielen, ja das gesamte Buch als Persiflage in jeglicher Hinsicht umzubiegen (Brenner 1982, S. 189 ff.).

Doch wollte Edgar seine Erfindung »lässig wie ein Lord« kredenzen; ein Snobismus, der von den Linientreuen der DDR-Kritik als »außerkollektives ›Zu-sich-selber-Finden‹« gerügt wurde (Koch 1973). Der Vater *Robinson Crusoes* – der gleichnamige Roman Defoes ist eines der Lieblingsbücher Edgars (s. u.) – mahnte seinen Sohn ganz ähnlich: »Nur Ehrgeizige oder Menschen, die das Unglück verfolgt, ziehen auf ein Abenteuer aus, um durch gewagte Unternehmungen überheblich zu werden.« »Die quantitative Übergewichtigkeit der Zentralfigur«, so die Tageszeitung das *Neue Deutschland*, führe »zur qualitativen Begrenztheit des realistischen Wirklichkeitsgehalts« (Kerndl 1972); im »Übergewichten subjektiver Individualität auf Kosten der realen Objektivität« sah Plate einen »Irrweg in unserer Literatur, der überwunden werden muß«. Und der DDR-Jurist Friedrich Karl Kaul empörte sich, dass »derart verhaltensgestörte Jugendliche [. . .] dank der energischen Maßnahmen unseres Staates alles andere als repräsentativ für unsere Jugend [sind]!« (Brenner 1982, S. 152) Dass *Die neuen Leiden des jungen W.* in der Tat »ein Literatur-Politikum ersten Ranges« (Labroisse 1975, S. 158) waren, wird zwar auch in anderen Zusammenhängen deutlich, hier aber besonders. Denn für die Staatssicherheit stand fest: »Mit den *Leiden des jungen W.* soll Gesellschaftskritik geübt werden. P. wendet sich gegen das Leistungsprinzip. Er will die Grenzen und negativen Folgen dieses Prinzips aufzeigen« (Operativer Vorgang *Dramatiker*, Archiv-Nr. 14940/84, Bd. 1, S. 33).

Die westdeutsche Kritik war da eher gespalten. Die einen sahen in den *Neuen Leiden* eine Variation der »Ankunftsliteratur«: »Er wollte sich also doch der Gesellschaft nützlich machen [. . .]. Am Ende paßt er dann doch: ein Rebell, der keiner war.« (Hensel 1978, S. 1076) »Der Gammler ist natürlich im Herzen Kommunist und – Neuerer« (Sander 1972, S. 961), »auf fatale Weise«, so Reich-Ranicki, statte Plenzdorf »seinen kessen Trotzkopf und Outsider mit allerlei Attributen [aus], die ihn unter der Hand den traditionellen positiven Helden des sozialistischen Realismus wieder annäherten« (Brenner 1982, S. 267). Andere widersprachen einer solchen Lesart entschieden; für Karena Niehoff zum Beispiel war jener »Schlußpunkt [. . .] doch von anderer Qualität als die, welche wohl alle westlichen (vermutlich auch die östlichen) in ihm sehen: ›Rettung für die sozialistische Gesellschaft‹ zeige es an, seine ›Heimkehr‹ bedeute es, daß er, anstatt sich umzubringen, einsam und verbissen, an der nützlichen Farbspritze bastelt. Da gerade liegt doch eher individueller Ehrgeiz drin, Mutwille, Hochmut gegen das Gemeinschaftswesen: ›Wie ein Lord‹ will er mit dem Ding aus seinem Alleinseinauftauchen, vor die Brigade treten, aus Spaß siegen, nicht aus Ordnungssinn kapitulieren« (Niehoff 1973).

Das Fehlen einer positiven Gegenfigur

Zum rezeptions- wie produktionsästhetischen Strickmuster des sozialistischen Bildungs- und Erziehungsromans gehörte eine »positive« Gegenfigur (die auch ein Kollektiv sein konnte) zur Rettung des gefährdeten Protagonisten. Das Fehlen einer solchen wurde in der DDR-Kritik entsprechend moniert; falls es nicht nur beim Konstatieren der Leerstelle blieb, wurden drei mögliche Figuren pädagogischer Einflussnahme diskutiert: der Brigadeleiter Addi Berliner, Zaremba, der Veteran der Brigade, und schließlich Charlies Verlobter und Ehemann, der Offizier und Germanistikstudent Dieter. Jenen Figuren nachzufragen lohnt; sie sind durchaus nicht so blass, wie sie die Kritik (Ost wie West in diesem Fall übereinstimmend) beschrieb.

Addi Berliner   Am schemenhaftesten bleibt Addi: Zwar gesteht ihm Edgar immerhin eine gewisse Seelenverwandtschaft zu – »ein Steher«, was sich wohl vor allem auf sein Arbeitsethos bezieht –, doch sind die »Gehirnwindungen« der »alten Streberleiche« zu »rechtwinklig«, als dass er etwas anderes hätte werden können als der »beste Feind«.

Zaremba   Anders Zaremba, der sowohl psychologisch als von Edgar respektierte Vaterfigur als auch ideologisch als kampferfahrener Antifaschist und Arbeiter für eine »positive« Rolle eigentlich prädestiniert scheint. Bis auf wenige Ausnahmen sah die Westrezeption, wenn überhaupt von Zaremba Notiz genommen wurde, nur das Klischee vom Altkommunisten. Mews beschrieb Zaremba immerhin als »Variante eines humanen Sozialismus, der die Möglichkeit der Selbstverwirklichung des Individuums beinhaltet. Jedoch kein DDR-Kritiker fühlte sich bewogen, in Zaremba das von Kaul so schmerzlich vermißte ›sozial-politische Gegengewicht‹ zu sehen, ›das der Wirklichkeit unseres sozialistischen Seins und sozialistischen Wollens [. . .] entspricht‹« (Mews 1984, S. 59; vgl. auch Eisenbeis 1989).

Bei genauerem Hinsehen wird jedoch schnell klar, warum das so war. Hans Koch, ein DDR-Chefideologe, verwies auf den springenden Punkt: Plenzdorf, so kritisierte er, habe diesen »Vertreter der Klasse« Edgar »so maßgenau auf den Leib geschneidert, daß jeder Konflikt [. . .] ausgeschlossen wird« (Koch 1973). Wohlweislich hütet sich Koch aber, jenen Maßen genauer nachzugehen. Denn Zaremba ist nur auf den ersten Blick konform, mit Edgar verbindet ihn eher eine gewisse Desintegration.

Zunächst erfährt der Leser Körperliches: Von einer trotz seines Alters außerordentlichen Fitness berichtet Edgar, von akrobatischen Arbeitseinlagen und Taschenmessertricks und davon, »daß er noch was mit Frauen hatte«, von seinem Glasauge, seinen Tätowierungen, den Defekten an Finger und Rippe. Doch schnell bekommt dies eine politische und historische Dimension: Die Tätowierungen sind Embleme einer kommunistischen Weltanschauung, und »das Glasauge hatte er sich in Spanien eingehandelt. Das heißt: Gemacht hatte es ihm einer in Philadelphia«. Dies bedeutet, dass Zaremba Kämpfer der »Internationalen Brigaden« im spanischen Bürgerkrieg (1936–39) war. (Jener richtete sich gegen den Militärputsch des General Franco; die »Internationalen Brigaden« bestanden aus ausländischen Freiwilligen, die auf der Seite der Republik kämpften. Sie wurden von der »Kommunistischen Internationale« – »Komintern« – organisiert, vereinten aber nicht nur Kommunisten und Sozialisten.) »Philadelphia« ist ein Hinweis darauf, dass Zaremba – vermutlich nach Auflösung der »Internationalen Brigaden« 1938 – in die USA emigrierte, was auch als »nicht in die Sowjetunion« gelesen werden kann. Nach dem Zweiten Weltkrieg nach Deutschland zurückgekehrt, soll Zaremba »gleich nach fünfundvierzig für drei Wochen Oberster Richter oder so von Berlin gewesen sein. Er soll ganz ulkige und ganz scharfe Urteile gefällt haben«. Dass Antifaschisten unabhängig von ihrer fachlichen Qualifizierung in administrative Funktionen kamen, war nicht ungewöhnlich; offen bleibt – und dies ist keinesfalls marginal –, weshalb Zaremba nur für eine solch kurze Zeit jenes Amt ausübte, und vor allem, warum er keine Funktionärslaufbahn einschlug, sondern sich lieber als Maler verdingte. Hinzu kommt, dass die »Westemigranten« von der DDR zwar umworben, aber dennoch mit Misstrauen betrachtet wurden, und dass die »Spanienkämpfer« mit dem Nimbus der aufrechten Kämpfer versehen waren. Nicht zu unterschätzen ist auch, dass Spanien und die USA – für Edgar und für den DDR-Leser – als »nicht sozialistisches Ausland« tabu und somit von besonderem Reiz waren. Auch Edgars Hugenottentick wurzelt eher in jenem romantisch-sehnsuchtsvollen Konglomerat von Fernweh und Exklusivität als im historischen Schicksal seiner Vorfahren; denn dass Edgar weiß, dass die Hugenotten aus religiösen sprich ideologischen Gründen Frankreich verlassen mussten, ist eher zu bezweifeln.

Die erste Begegnung Edgars mit Zaremba ist trotz seiner Behauptung keineswegs eine der »Liebe auf den ersten Blick«, sondern eher eine mit Hindernissen. Zarembas und der Brigade Gesänge waren als erster Eindruck wohl eher Stolpersteine als Brücken: »Das war eine Truppe, Leute! Auf, Sozialisten! Mir fiel fast der Pinsel aus den Pfoten.« Wenn Edgar betont, dass seine Fassungslosigkeit darin begründet lag, dass da »nicht irgendein Schlager« gesungen wurde, »sondern eins von den Liedern, von denen man immer nur die erste Strophe kennt«, dann ist dies keinesfalls nebensächlich: War doch die in der DDR verordnete Pflege der »Arbeiter- und Kampflieder« für die Wibeau-Generation längst zum absurden Ritual verkommen. Schaut man sich zudem an, *welche* Lieder zum Repertoire der »Truppe« gehörten, verschiebt sich das Bild noch einmal. Das erste Lied ist der »Sozialistenmarsch«, der 1891 in Vorbereitung auf den »Erfurter Parteitag« (dem ersten legalen Parteitag der deutschen Sozialdemokratie nach dem Verbot durch das Bismarcksche »Sozialistengesetz«) komponiert wurde. Das zweite Lied ist das um 1942 entstandene »Lied der italienischen Partisanen« – ein weit verbreitetes Volkslied. Sozialdemokratische Tradition und natürliche Volksverbundenheit waren aber alles andere als realsozialistischer Mainstream. Hinzu kommt, dass Zaremba Böhme ist: Nun ist Böhmen zum einen die Heimat Schwejks, zum anderen aber waren die Deutschen jenes Landstriches Heimatvertriebene, was in der DDR gern verdrängt wurde. Und schließlich ist hinzuzufügen, dass Zarembas Gesang und sein böhmisches »No« eine ähnliche Funktion wie die »Werther-Pistole« für Edgar besitzt, dass auch er pikareske Züge trägt (s. u.), man denke nur (aber nicht nur) an seine diversen Showeinlagen.

Bleibt Dieter. Dass es den ostdeutschen Sittenrichtern überhaupt Dieter nicht behagte, dass ausgerechnet jene mit allen Attributen des DDR-Vorzeigemenschen ausgestattete Figur am schlechtesten wegkommt, kann kaum verwundern. Verwies doch die Kritik an der Figur zugleich auf das Militärische an sich und jenes war von einer solch alltäglichen Omnipräsenz und repressiven Macht, dass Staat und Armee geradezu synonym erschienen.

Die erste Begegnung mit Dieter erfolgt fast seitengenau in der Handlungsmitte. Noch bevor sich Edgar und Charlie kennen lernen, ist, und dies nicht von ungefähr, von zwei Kunsterlebnissen die Rede, die u. a. auch für die Begegnung mit Dieter wichtig sind: von der *Werther*-Lektüre und von einem Kinobesuch. Das Goethe-Buch wird hier noch so rigoros abgelehnt wie der DEFA-Film (s. o.). Deutlich wird, dass Edgar keinesfalls gewillt ist, sich – wie der Filmheld – als »prachtvoller Junge [. . .] hervorragend einreihen« zu lassen, nicht durch einen »Agitator«, nicht durch eine »prachtvolle Brigade mit einem prachtvollen Brigadier« und auch nicht durch einen solchen »Kissenpuper« wie Werthers Freund Albert. Charakterisierungen, die der Leser noch vor Augen haben dürfte, wenn Dieter auftritt. Es versteht sich von selbst, dass der Rivale in Liebesdingen von Edgar nicht objektiv beschrieben werden kann; mit welchen Attributen Dieter aber versehen wird, ist bemerkenswert. Dieter war nicht irgendein Offizier, er war »Innendienstleiter« und damit verantwortlich für »Disziplin und Ordnung« im Kasernenbereich. Offiziell dienten die »Maßnahmen« der »Erziehung« der »Wehrpflichtigen«; oft hieß das im Klartext: Schikanen, um die Persönlichkeit und den Willen der Soldaten zu brechen. – Dass Charlie ausgerechnet in der Militärexistenz Dieters eine mögliche (pädagogische) Bezugsebene für Edgar sieht, spricht nicht gerade für sie. Vermutlich ist sie stärker dem Wertesystem Dieters verhaftet als es Edgar wahrhaben will. – »Er hätte ihr Vater sein können, ich meine, nicht altersmäßig. Aber sonst.« Jugendlichkeit ist für den siebzehnjährigen Edgar äußerst positiv besetzt (s. u.), sie ist aber keineswegs nur eine Frage des Alters. Im Theaterstück heißt es über den vitalen Rentner Zaremba: »Er war der Jüngste, jedenfalls vom Kopp her.« Und wenn Edgar dann noch Bismarck mit Dieter assoziiert, wird dieser nicht nur ins (Ur-)Großväterliche abgeschoben (wenig später heißt es »Opa-Sprüche«), mit der Symbolfigur Preußens wird auch die Tradition militärischer Disziplin und Härte aufgerufen.

Verstärkt wird dies durch die Beschreibung von »Dieters Bude«, in »einer Art Stubendurchgang« geht Edgar durch »das aufgeräumteste Zimmer, das es überhaupt geben konnte«. Mit »Stubendurchgang« wird im Militärjargon die Kontrolle soldatischer Unterkünfte bezeichnet, was zu den Aufgaben der »Innendienstleiter« gehörte. Die Wortwahl charakterisiert also zum einen Dieters Unterkunft, zum anderen verkehrt Edgar ironisierend die Dienstrangverhältnisse.

»Anti-Werther« oder »Werther in Jeans«?

Die Bezüge zu Goethes Werther stellen sich vielfach her: durch den Titel, durch die Parallelen in der Handlungs- und Personenstruktur bis hin zum tragischen Ende, durch Edgars Lektürebericht und die als »Werther-Pistole« gebrauchten Zitate. Wie aus der Kapitelüberschrift ersichtlich, stritten die Interpreten vor allem darüber, ob Edgar Wibeau als Parallelfigur, als ein (roter) »Werther in Jeans« – und sein Ende somit zwangsläufig tragisch sein musste, da es im Scheitern an der Gesellschaft begründet liegt –, oder eben als »Anti-Werther« zu lesen sei, dessen Eingliederung in die Gesellschaft eine Alternative zu Goethes Vorlage böte.

Zu den Zitatbezügen hat Ilse H. Reis eine detaillierte Studie vorgelegt. Die Vielzahl der von ihr benannten strukturellen und

Parallelen zu
Goethes
Werther

motivischen Unterschiede bzw. Gemeinsamkeiten Edgars und Werthers sind bemerkenswert. Neben der offensichtlichen Dreiecksbeziehung sind dies u. a. die musischen Neigungen wie die Liebe zu bestimmter Musik und eigene Malversuche (beide zeichnen einen Schattenriss der Geliebten), verbunden mit emotionaler Schwärmerei bei trockener Nüchternheit der Konkurrenten, beider Abneigung gegenüber empfohlenen Büchern bei gleichzeitiger Verehrung selbst entdeckter Literatur (bis zu dem Detail, dass die Protagonisten diese Bücher mit sich herumtragen), die Genieproblematik (insbesondere die Ablehnung von »Regeln«), die Aufkündigung eines Arbeitsverhältnisses als Protesthandlung, der erste Anblick der Angebeteten in einer Kinderschar, Geldsorgen bei gleichzeitiger Ablehnung mütterlicher finanzieller Zuwendung, gesellschaftskritische Blicke auf Spießbürgerlichkeit bzw. Ständedünkel (letztere bei Edgar natürlich nur im übertragenen Sinn).

Jedoch hebt Reis als entscheidend hervor, dass »Edgar genau den umgekehrten Weg wie Werther [gehe]. Er wird immer aktiver.« Zudem seien ihm, im Unterschied zu Werther, »sentimentale Anwandlungen« fremd, dafür selbstkritische, auch selbstironische Reflexion zu eigen (Reis 1977, S. 18 f.). Das Fazit von Reis lautet, dass »Edgar keineswegs als moderner Werther angelegt sein kann. Zwar verwendet Plenzdorf Themen und Motive aus ›Werther‹, aber die Hauptcharaktere sind antithetisch entworfen« (Reis 1977, S. 52). I. H. Reis

Peter Grotzer hebt hervor, dass die *Werther*-Zitate die eines Selbstmörders seien, wodurch von vornherein eine Lektürelenkung erfolge. Damit aber wäre auch der Selbstmordverdacht bezüglich des Unfalls präjudiziert; hinzu komme das gleiche Todesdatum, der 24. Dezember (Werther 23. Dezember – J.K.). Allerdings schieße Edgar mit der »Werther-Pistole« auf andere, nicht auf sich (vgl. Grotzer 1991, S. 147 ff.).

Edgar benutzt die »Werther-Pistole« dennoch vergleichbar: als Ausweg für Situationen, in bzw. mit denen er nicht klar kommt. Zwar hat seine »Waffe« keine letalen Folgen, die Funktion der realen und der metaphorischen »Pistole« ist aber in Motivation und Konsequenz durchaus ähnlich: Ausgrenzung statt Eingliederung. Auch findet die Pistole ihr Pendant im Luftgewehr – der einzigen in der DDR legalen Waffe. Dieses spielt zudem in der »Urfassung« noch eine zentrale Rolle in einer Selbstmordmechanik, welche genauso abstrus wie das Spritzenmodell konstruiert ist und nicht funktioniert, dafür jedoch die Farbspritze in Werther-Pistole

Gang setzt. In der Prosafassung hält sich Edgar das (ungeladene) Gewehr an die Schläfe, was Dieter erzürnt – auch dies eine Parallelszene zu Werther, dem Albert in einer Beispielgeschichte berichtet, wie gefährlich der Umgang mit Waffen sein kann (Brief vom 12. August 1771). Edgar aber stirbt nicht an einer Waffe, die er sich an den Kopf hält, sondern an der »Erfindung«, die er sich in den Kopf gesetzt hat.

P. Grotzer

Parallel, so Grotzer weiter, sei auch, dass Edgar Nachrichten – zugleich Lebenszeichen wie Selbstverständigung – an seinen Freund nach Hause schicke, wenn auch in der Maske Werthers. Dennoch seien die »soziale Situation der Protagonisten und der Ausgang ihrer Geschichten je verschieden wie auch die Art der Darstellung«: Der Ich-Perspektive im Briefroman mit abschließendem Bericht eines Zuschauers im *Werther* steht bei Plenzdorf eine mehrfach gebrochene Perspektive aus der jeweils subjektiven Erinnerung verschiedener Figuren. Der Bezug der *Werther*-Zitate sei mithin, und damit folgt Grotzer Weimann, »nicht ein mimetischer, sondern ein metaphorischer« (vgl. Grotzer 1991, S. 157 f.).

R. Weimann

Jene These Weimanns, dass »nicht beim Helden des Goetheschen Briefromans, sondern bei dessen Funktion im modernen Werk« anzusetzen sei (Brenner 1982, S. 159), wurde heftig kritisiert. Weimann sprach von einer »metaphorischen Spannung von Entsprechung und Nichtentsprechung [. . .,] das Moment der Nichtentsprechung dominiert; an die Stelle der Selbstaufgabe tritt eine selbst gestellte Aufgabe« (Brenner 1982, S. 161 f.). Eine solche Sicht, so die Kritiker Weimanns, verschiebe das tragische Ende des Protagonisten aus dem Lebensweltlichen in ein rein ästhetisches Spiel, womit das Kritikpotential herabgesetzt werde und Edgars Versöhnung mit der Gesellschaft behauptet werden könne (u. a. Waiblinger 1976, S. 76).

J. Scharf-
schwerdt

Jürgen Scharfschwerdt widmet sich der in den anderen Untersuchungen eher marginalisierten Fragestellung nach dem Bruch mit der auf »Klassik« orientieren Erbeorientierung in der DDR. Als traditionsbildend wird auf Georg Lukács *Werther*-Aufsatz (1936) verwiesen, der im Sturm und Drang im Allgemeinen und in der Figur des Werthers im Besonderen die »herausragende literarische Repräsentation einer frühbürgerlichen deutschen

Emanzipationsbewegung« sah. Dies stimmte mit dem DDR-Verdikt vom »Geschichtsoptimismus« überein – der »Sturm und Drang«, so zitiert Scharfschwerdt eine DDR-Literaturgeschichte, sei als »heroische Durchbruchsperiode unserer jungen Klassik« (Scharfschwerdt 1978, S. 251) anzusehen; man beachte das Possessivpronomen. Erst Peter Müller beschreibe, nach Scharfschwerdt, in *Zeitkritik und Utopie in Goethes ›Werther‹* (1969) Werther als einen, der »alle Wirklichkeitsbereiche nicht nach ihrem vorgegebenen traditionellen Wert [beurteilt], sondern nach ihrem Wert für die empfindungsgegründete Individualitätsausbildung«. Es heiße deshalb, »im Falle des *Werther* eine Entfremdungsthematik zu verfolgen, in deren Rahmen eine umfassende ›Selbstentdeckung‹ des Menschen zum neuen Sinn der Poesie wird«. Vor diesem literaturgeschichtlichen Hintergrund bezeichnet es Scharfschwerdt als die »größte Überraschung, wenn nicht [. . .] Provokation« der *Neuen Leiden*, dass die »proklamierte Volksverbundenheit des bürgerlich-literarischen Kulturerbes [. . .] grundlegend problematisiert« wird (Scharfschwerdt 1978, S. 25 ff.). Waiblinger konstatiert hierzu lakonisch: »Die Leute, die mit den *Werther*-Zitaten konfrontiert werden, gehören zwar einem relativ breiten Spektrum des Bildungsniveaus an [. . .], aber Goethes *Werther* ist allen fremd. Die literarische Tradition ist tot« (Waiblinger 1976, S. 79). Scharfschwerdt sieht daher in Plenzdorfs Text eine, wenn nicht *die* Möglichkeit, an den Originaltext heranzuführen. Eine Einschätzung, die in der didaktischen Literatur geteilt wird. Der zunächst harschest abgelehnten, dann doch vollzogenen *Werther*-Lektüre folgt ein sukzessiv wachsendes Verständnis Edgars für Goethes Protagonisten, ein Staunen, dass Aussagen 1:1 funktionieren; *Werther* wird zur Identifikations- bzw. Projektionsfläche. Die mit den *Werther*-Zitaten erweiterten »eigenen Ausdrucksmöglichkeiten« zielen für Ernst Weber zum einen auf eine »zeit- und gesellschaftskritisch gemeinte Irritation eingefahrener Denk- und Sprechhaltungen«, zum anderen erfolge »der strategische Einsatz uneigentlichen Sprechens aus Selbstschutz, wie ihn politische Verhältnisse nötig machen« (Weber 1983, S. 523). Damit aber werde, so Scharfschwerdt, »die radikale Kritik seines Vorgängers an seiner gesellschaftlichen Umwelt in zunehmendem Maße auf die sozialistische Gesellschaft« übertragen. Die »Leiden« Edgar Wibeaus seien daher als ein Leiden zu lesen, »das in alltäglichen, bornierten Lebensverhältnissen seine Grundlage hat, die als uneigentliche Lebensverhältnisse gerade in ihrer alltäglichsten, gewöhnlichsten Realität ihre Uneigentlichkeit enthüllen« (Scharfschwerdt 1978, S. 264). Waiblinger betont, dass Edgar »nicht an der sozialistischen Gesellschaft in abstracto, sondern an der Gesellschaft, in der er lebt« leide (Waiblinger 1976, S. 76); und für Labroisse wird – trotz konstatierter Oberflächlichkeit Edgars – eine »Entsprechung sichtbar, was das Ungenügen am Sosein der Gesellschaft und das Ich-Gefühl, die eigene Gestimmtheit betrifft« (Labroisse 1975, S. 164). Wenn Mews dem entgegenhält, dass Edgar keine »grundsätzliche Zweifel an der Gesellschaftsordnung, in der er aufgewachsen ist«, kämen, da er keine andere Welt kenne (Mews 1984, S. 47), dann ist dies aus figurenperspektivischer Sicht wohl gerechtfertigt, aber nur aus einer solchen. Ähnlich auch G. Kluge, für den Edgar Werther zwar bejahe, es aber zu keiner bedingungslosen Identifikation komme; Edgars Zustimmung bleibe stets auf Distanz (vgl. Kluge 1978, S. 188).

Waiblinger beschreibt Edgars Annäherung an Werther als – wenn auch nicht so benannt, so doch: dialektisches – Wechselspiel, in dem zum einen »die literarische Erfahrung der wirklichen voraus[laufe]«, zum anderen »das eigene Erlebnis durchs Zitat artikuliert, ja erst bewußt erfahren [wird] durch die sprachlich vorgeformte Wirklichkeit« (Waiblinger 1976, S. 82).

Werthers Briefe – Code oder Maske?

Voraussetzungslose Lektüre

Doch bevor Edgar diese Textstellen für sich entdecken kann, muss er, der unmittelbar identifikatorisch und bar jeglicher (literatur)historischer (Selbst)Reflexion liest, das Buch von all jenem »Ballast« befreien, der eine andere als ihm gemäße Lesart einklagen würde. Als Toilettenpapier werden Titelblatt und Nachwort gebraucht, d. h. benötigt und benutzt, also missbraucht. Mit jener »Umwidmung« der Bücherseiten aber befreit Edgar den Text »vom Stigma des Vergangenen und Veralteten (dokumentiert im Verfassernamen auf dem Titelblatt) und von seiner Wirkungsgeschichte, in der es bis zum sterilen Bildungsgut herabgesunken ist (dokumentiert im Nachwort)« (Waiblinger 1976, S. 80). Und dies mit der verächtlichsten aller möglichen Gesten. Die Lektüre kann nun im doppelten Sinne voraussetzungslos vonstatten gehen: Auch der Autorenname bietet keinen Hinderungsgrund mehr.

»Das ganze Ding war in diesem unmöglichen Stil geschrieben. ›Ich denke manchmal – ein Code.‹ – ›Für einen Code hat es zuviel Sinn. Ausgedacht hört es sich aber auch wieder nicht an.‹« Edgar benutzt eine fremde (sprachliche) Zeichenwelt, um das, was sein Innerstes bewegt, zu artikulieren ohne es zugleich preisgeben zu müssen: Von seinen Gefühlen kann er eben nicht in jener sonst vorherrschenden schnoddrigen »Teenagersprache« sprechen. Hier leisten ihm die *Werther*-Szenen »Übersetzungshilfe«, wohl wissend, dass für Willi oder andere Hörer eine »Decodierung« kaum möglich sein wird, denn dazu wäre die Textkenntnis erforderlich.

Funktion der *Werther*-Zitate

Zugleich sollte aber nicht außer Acht gelassen werden, was die Zitate zunächst und zuvörderst waren: zum einen »Lebenszeichen an seinen Freund Willi, zum anderen Imponier- oder Überraschungsgeste« (Labroisse 1975, S. 164).

Vom sich im Laufe des Buches verändernden Verhältnisses Edgars zum *Werther*-Text war schon die Rede: von völliger inhaltlicher wie stilistischer Ablehnung, über die als »vielleicht die beste Idee meines Lebens« apostrophierte Zitat-Nachricht an Willi, die als »Jux« (gegenüber Charlie) oder als »schärfste Waffe« (gegenüber Dieter oder Addi) gebrauchte »Werther-Pistole« bis zum Understatement eines »Langsam gewöhnte ich mich an diesen Werther«, dem gleich darauf das respektvolle »Der Mann wußte Bescheid« folgt. Und schließlich: »Ich hatte nie im Leben gedacht, daß ich diesen Werther mal so begreifen würde.« – Auch Werther nutzt das literarische Zitat, um seinen Befindlichkeiten Ausdruck zu verleihen, wobei *Ossian* den Homer so verdrängt, wie für Edgar der *Werther* im Vergleich zu *Robinson Crusoe* bzw. *Der Fänger im Roggen* immer wichtiger wird. Und schließlich finden sich sowohl Werther als auch Edgar kurz vor ihrem Tod in ihrer Lektüre wieder, lesen *Ossian* bzw. *Werther* auf die eigene, aktuelle Situation bezogen identifikatorisch.

Parallel dazu nähert sich auch der »tote«, d. h. der kommentierende Edgar Werther in einem weiteren Punkt an: Sein anfäng-
liches Urteil über Werthers hoffnungs- und seiner Meinung nach
auch tatenlose Liebe – »er mußte doch sehen, daß sie nur darauf
wartete, daß er was *machte* [. . .]. Dem war nicht zu helfen« –
folgt Charlies dreifache Beteuerung gegenüber dem Vater, dass
Edgar nicht zu helfen war. In der Liebesszene bekennt Edgar
selbst: »Ich war nicht mehr zu retten«; und als ihm kurz darauf
Charlie wegläuft: »Ich weiß nicht, warum ich ihr nicht nachrannte. Wenn ich in Filmen oder wo diese Stellen sah [. . .], stieg
ich immer aus. Drei Schritte, und er hätte sie gehabt. Und trotzdem saß ich da und ließ Charlie laufen.«

In jener Kuss- und Liebesszene findet Edgar zu einer neuen Sprache: »In Edgars Erzählung fällt ein Satz auf, der sich aus dem
ganzen Buch heraushebt durch seine poetische Sprache: ›Ihr Ge-
sicht roch wie Wäsche, die lange auf der Bleiche gewesen ist.‹
Hier ist der Jargon durchbrochen, die Sprachlosigkeit vor dem
Gefühl gebannt, für einen Augenblick dringt durch den Salinger-
Stil ein Satz, der nicht präfabriziert, der im Stil des ›unmöglichen
Werther‹ geschrieben ist. Edgar hat eine Erfahrung gemacht, die
der Jargon nicht ausdrücken kann, und kann sie ohne Hilfe des
Zitats artikulieren. Hier ist das Ende des langen Prozesses des
Zur-Sprache-Kommens und damit Zu-sich-selbst-Kommens er-
reicht.« Soweit Waiblinger (Waiblinger 1976, S. 84 f.) – nur war
Edgar da eben schon »nicht mehr zu retten«.

Pikareske Züge

Für Kluge findet Edgars »Werther-Pistole« in Oskar Matzeraths
Blechtrommel (Roman von Günter Grass, 1959) ein Pendant:
Zugleich Schutz und Protest, (be)nutzen sie ihre Instrumente,
wenn ihnen keine andere Ausdrucksmöglichkeit bleibt. Edgar
Wibeau sei daher »eher Pikaro [span. Schelm] als Werther, oder
anders formuliert: der Werther wird in der Moderne zum Pikaro, weil er seine Freiheit nur noch mit intellektueller List behaup-
ten kann durch ›Widerstand oder Verweigerung‹, nicht in der
Besinnung auf sein Ich-Gefühl. Edgar verteidigt seine Integrität
als Mensch und verlangt nach der Möglichkeit menschlicher
Selbstbestimmung, die ihm die Gesellschaft und die von dieser
entworfenen Ideologien, durch die sein Menschsein definiert
werden soll, nicht bieten können. Werther wird für ihn eine Zu-
flucht, eben deshalb *ist* er kein Werther« (Kluge 1978, S. 193).

Die pikaresken Züge Edgars werden abgerundet durch seine Eulenspiegeleien; wie Till (oder Schwejk) nimmt er zum Beispiel die als Einwurf oder Kommentar gemeinten »Arbeitsanleitungen« wörtlich und bringt damit seine Widersacher ebenso in Rage wie mit den *Werther*-Zitaten, worüber sich Edgar durchaus im Klaren ist.: »Die Experten dachten wohl, ich war der Clown der Truppe. Sie grinsten jedenfalls.« Aber auch die andere, entschieden häufiger gebrauchte Selbsttitulierung »Ich Idiot« verweist über den umgangssprachlichen Ausdruck hinaus auf die literarische Tradition.

Jene »Clown der Truppe«-Szene aber ruft für Edgar eine bedrohliche Situation herauf: Die frustrierten und provozierten Kollegen sind kurz davor, handgreiflich zu werden. Zur Schlägerei kommt es nicht, dennoch erwächst aus dieser Episode Unheil, sie wird zum Ausgangspunkt für die tödlich verlaufenden Basteleien am »NFG«. »Der moderne Pikaro«, führt Kluge aus, »steht im Spannungsfeld zwischen Anpassung und Selbstbehauptung, wobei Anpassung zur Gleichschaltung, Selbstbehauptung zur Liquidation führen kann. [. . .] Es ist der Zwang zum Ulk, der Zwang zu Maske als Bedingung der Möglichkeit [einer Selbstverwirklichung], was aus Edgar einen modernen, problematischen Schelm macht, aber keinen Werther« (Kluge 1978, S. 190 ff.). Ihm »kam es aufs Prinzip an«, als er, wohl um die Konstruktionsmängel wissend, den tödlichen Knopf drückt – eine »dialektische Einheit von Schelm und Tor« (ebd., S. 200). Und in der Tat entsprechen Edgars letzte Worte *auch* einer solchen Deutung: »Ich wär doch nie *wirklich* nach Mittenberg zurückgegangen [. . .]. Ich Idiot wollte immer Sieger sein.«

Unfall oder Selbstmord?

Die Todesanzeigen des Anfanges annoncieren den unausweichlichen Schluss. Unfall oder Selbstmord? Als tragische Konsequenz Zeugnis für eine stringente Schreibhaltung oder schlicht die Verlegenheitslösung eines Autors, der nicht weiter wusste mit seinem Helden?

Für die einen steht – mehr oder weniger – fest, »daß es *fast* wahrscheinlich ist, Edgar habe gewußt, was er tat, als er auf den

Selbstmord

Knopf drückte« (ebd. – Hervorhebung J.K.). Als Argumente werden ins Feld geführt: das Bekenntnis Edgars, Werther »fast« zu verstehen, »wenn [dieser] nicht mehr weiterkonnte«, die Selbsteinschätzung, dass es »schätzungsweise am besten so« war, das klare Erkennen der technischen Mängel der »NFG«-Konstruktion, die Absage an eine Rückkehr nach Mittenberg.

»Edgars Unfall war kein Zufall«, so Waiblinger, denn »wenn Edgar seinen Tod auf diese Weise billigt, unterscheidet sich der tödliche Unfall nicht mehr prinzipiell vom Selbstmord« (Waiblinger 1976, S. 76). Am rigorosesten diesbezüglich Fritz J. Raddatz, der »von einem gesellschaftlichen Mord« sprach (Brenner 1982, S. 308). Für ihn stirbt Edgar »gleichsam einen zweiten Tod nach der Banalheirat seiner Charlotte«, der Schluss sei daher »nicht ironische Pointe des Absurden, sondern Erfüllung. Es ist auch Ausweis einer souveränen Schreibmethode, einer überzeugenden Bewältigung des Materials« (Raddatz 1972).

Unfall Interessanterweise wird in jenen Ausführungen, die die *Neuen Leiden* unter einem betont politischen Fokus – pro oder contra DDR? – betrachten, zumeist für die Unfallversion gestimmt, und dies mit unvereinbaren Schlussfolgerungen: Für die westdeutschen Kritiker drückte sich der Autor mit dem »Unfall« um die Konsequenz einer deutlicheren Systemkritik: » – diese Moritat eines Gammlers gibt nicht viel her, denn sein Kommunist-Sein stand nie ernsthaft in Frage, und sein Tod ist ein Unfall, der auch nicht hätte geschehen brauchen« (Sander 1973, S. 455). Karl Corino wittert hinter der letalen Variante der Buchfassung eine von oben gelenkte Zensur: »offenbar mußte das trotzige, einzelgängerische Erfindertum auf höheres Geheiß scheitern« (Brenner 1982, S. 253). Die ostdeutschen Kritiker sahen sich eher zum Abwiegeln veranlasst, wenn sie betonten, dass der Unfalltod vom Publikum stets »als ein legitimes Kunstmittel begriffen wurde, nie als unabdingbare Konsequenz seines Han-

Werther-Parodie delns« (ebd., S. 222). Weimann und Girnus versuchten den letalen Ausgang als *Werther*-Parodie zu interpretieren: Weimann sah die Möglichkeit einer »durch den Tod des Helden ironisch verschobene[n] Greifbarkeit einer Lösung dieser Konflikte«, hielt jedoch die Lösung Plenzdorfs für »tragisch überfrachtet« (ebd., S. 160 f.); für Girnus »persifliert« der tote Edgar sowohl

Werther als auch sich selbst (ebd., S. 191). Und für Hans Koch war Edgars Tod »denn auch nicht tragische Konsequenz einer bestimmten Lebenshaltung, sondern ein wenig Ratlosigkeit und wesentlicher spielerisch-funktionaler ›Gag‹ für den Bau des Stückes« (Koch 1973). »Woraus das Ärgernis resultierte«, beschrieb Jäger: »Der Tod ist einerseits Konsequenz des Geschehens, andererseits jedoch bleibt offen, ob und welche Bedeutung über den Fall hinaus ihm zukommt« (Jäger 1984, S. 48 f.).

Trotz der Zurücknahme des eindeutig Suizidären ist das Scheitern in der Prosafassung weder Glättung noch Zurücknahme, schon gar nicht »Gag«, sondern, wie bereits erwähnt, Zuspitzung: In der »Urfassung« hatte es Edgar Wibeau geschafft, die Spritzmaschine herzustellen. In der nächsten Fassung – wie auch im literarischen Drehbuch – geschah dies dann immerhin noch postum. In der Prosafassung bleiben nur Schrottteile – wie überhaupt die Frage nach dem, was bleibt, im Resümee des Vaters mit einem umfassenden »Nichts« beantwortet wird.

Zuspitzung der Prosafassung

Bleibt das Todesdatum: der 24. Dezember, Heiligabend. Goethes Werther stirbt einen Tag früher, Salingers Holden Caulfield (der Protagonist in *Der Fänger im Roggen*) irrt durch das vorweihnachtliche New York. Ein doppelter Bruch: im Privaten wie im Utopischen, familiäre Harmoniesucht wird ebenso enttäuscht wie messianische Heilserwartung. »Advent« heißt »Ankommen«, und das italienische »Salute«, die Grußformel zwischen Edgar und Willi, wünscht im religiösen Sinne »Heil« bzw. »Rettung«: Keine »Ankunftsliteratur«, jene Texte handeln von heil-, weil ortloser Flucht.

Der Fänger im Roggen

Vor der *Werther*-Lektüre hatte Edgar nur zwei Lieblingsbücher: *Robinson Crusoe* und Salingers *Fänger im Roggen*. Bereits zwei Seiten vor diesem Bekenntnis wird *Robinson* zitiert: Gleich nach der Ankunft in Willis Laube fühlte sich Edgar als solcher; in Erwartung eines Abenteuers im Großstadtmeer, allein und auf sich gestellt und für den Rest der Welt (zumindest der der Autoritäten Mutter und Lehrmeister) verschollen, zelebriert Edgar seinen Blue Jeans Song als »Robinson Satchmo«. Im »Insula-

Insulaner-dasein

nerdasein« erschöpft sich allerdings für die Plenzdorf-Interpreten der Robinson-Bezug. Dass beider Existenz von außen verändert wurde oder dass ein erfindungsreiches Improvisationstalent Robinson überleben lässt, Edgar hingegen tötet, wurde ignoriert.

Nun ist vom Gestrandetsein nur bei Robinson wörtlich zu reden, bei Werther, Holden und Edgar hingegen metaphorisch. Holden schlägt gewissermaßen eine Brücke: Schiffbruch erlitt er als katastrophales äußeres Ereignis in Form der Relegierung vom College. Die »aktive« Schuld Holdens war, für die Schule sowohl zu passiv als auch zu unangepasst gewesen zu sein und daher zu schlechte Noten erhalten zu haben. Seinen Rausschmiss hatte er längst erwartet und erträgt diesen mit angeekelter Leidenschaftslosigkeit. Zwar ist auch Edgars Lehrverhältnis beendet; doch geschah dies aktiv, in einem jähzornigen Anfall von »zu hohem Hugenottenblutdruck«. Bis dato war er ein »Musterknabe«, »Sohn der Leiterin«, »bester Lehrling, Durchschnitt eins Komma eins«. Und doch hatte er »die Lehre geschmissen und ist von zu Hause weg, *weil er das schon lange vor hatte*«.

Holdens utopischer Traum ist ein Einsiedlerleben in unberührter Natur, Robinson hingegen unternahm alle Anstrengungen, um diesem Zustand zu entkommen. – Edgar genoss die Möglichkeit, sich in die Laube zurückziehen zu können, eine Eremitenexistenz käme ihm aber nie in den Sinn. Für ihn werden ausgerechnet Schrebergarten, Areal ausgelebter Gartenzwergspießigkeit und domestizierter Natur, und Gartenlaube, seit der gleichnamigen Zeitschrift (1853–1937) Inbegriff für kitschige Ästhetik einer »heilen Welt«, zum Aussteiger-Asyl, zur anarchischen Endzeitlandschaft gar.

Aus einer »Notiz in der Berliner Zeitung«, die das Buch eröffnet, erfährt der Leser Namen und Ort der Gartenkolonie: »Paradies II im Stadtbezirk Lichtenberg«. Nun ist einer solcher Name, gleichwohl authentisch, nicht ohne die Konnotation des Jenseitigen, der »Insel der Seligen« bzw. des verlorenen Gartens der Unschuld zu lesen. Für Robinson war die sehr diesseitige Südseeinsel eher eine grüne Hölle als »paradiesische Gegend« (*Werther*). Dementsprechend werden die erzählerischen Rahmen gesetzt: Robinson Crusoes Abfahrt aus der Heimat eröffnet, seine

Heimkunft beschließt den Roman; er ist im Übrigen der einzige Ich-Erzähler, der nicht scheitert. Edgar und Werther kehren nicht in die Heimat zurück, sie scheitern am Fremdbleiben. Der Tod Edgars und damit auch der Todesort »Kolonie Paradies II« stehen am Anfang und am Ende der *Neuen Leiden.*

Die Gartenlaube ist für Edgar Start-, nicht der Zielpunkt, von hier aus will er Berlin erobern. Er stürzt sich geradezu in das Großstadterlebnis. Holden hingegen wird von den Streifzügen durch New York nur in seiner Niedergeschlagenheit bestärkt. Überhaupt lässt Holden an nichts und niemandem etwas Gutes oder Erfreuliches, wofür er auch von seiner Schwester Phoebe heftige Kritik einstecken muss. Edgar hingegen gesteht selbst seinem »besten Feind«, Addi, der »alten Streberleiche« eine gewisse Seelenverwandtschaft zu. Zudem unterscheidet sich Edgar von Holden durch die Fähigkeit zur Selbstironie und -kritik. »Prachtvoll« gebraucht auch Edgar sarkastisch, und auch er dachte, »man dürfte nicht älter werden als siebzehn-achtzehn [. . .], dann ist mit keinem mehr zu reden«. Dennoch hat er im Vergleich zu Holden ein wesentlich gelasseneres Verhältnis zum Erwachsenwerden, wozu eine entspanntere Beziehung zur Erotik gehört. So kommt Edgar auf die Idee, »diesen Salinger« ins »Nest« Mittenberg einzuladen, um »seine blöden sexuellen Probleme« zu beseitigen. Überhaupt ist für Edgar, der sein »erstes Mal« längst hinter sich hatte, Sexualität und Erotik ausgesprochen positiv besetzt. Holden liebt im Gegensatz zu Edgar nicht, er hat Sehnsüchte, denen er zugleich mit großer Skepsis begegnet. Einen konkreten Rivalen und Gegenspieler – wie für Edgar und Werther – gibt es nicht.

In der naiven Lesehaltung hingegen sind sich Plenzdorfs und Salingers Protagonisten nah: Holdens Äußerungen zu Shakespeares Figuren z. B. klingen, als ob ihn nur drei Avenues von den Protagonisten trennen würden und nicht dreieinhalb Jahrhunderte oder gar die Grenze zwischen Realität und Fiktion.

In der »Ablehnung der Erwachsenenwelt« und im »Gefühl der Isolation und Vereinsamung in einer Gesellschaft, die auf die besonderen Ansprüche und Ideale der beiden Protagonisten keine Rücksicht nimmt«, sieht Peter J. Brenner die Gemeinsamkeit zwischen Edgar und Holden, in Holdens Bestreben, »sich ein

Vergleich Edgar/Holden

privates Reservat [zu] schaffen«, den Unterschied: »Edgars Protest hingegen hat von vornherein auch politische Züge, weil er sich nicht, wie Holden, auf eine allgemeine Kritik [. . .] beschränkt, sondern weil dieser Protest sich in ständiger Auseinandersetzung mit der gesellschaftlichen Realität und den Idealen, die dieser Realität eigentlich zugrunde liegen sollten, vollzieht« (Brenner 1982, S. 35).

M. Reich-Ranicki

Für Marcel Reich-Ranicki erzählen die Bücher von »einer eigentlich sehr simplen und fast rührenden Rebellion. Und wie es dort nicht um Kapitalismus ging, geht es hier nicht um Sozialismus. Sowohl Salingers College-Student Holden Caulfield als auch Plenzdorfs Lehrling Edgar Wibeau halten die Gesellschaftsordnung in den Ländern, in denen sie geboren wurden und aufgewachsen sind, für etwas Selbstverständliches. Eine andere Welt kennen sie überhaupt nicht. Wogegen sie naiv und trotzig protestieren, sind Formen des Zusammenlebens, die sie für unerträglich vor allem deshalb halten, weil sie ihre Selbstverwirklichung permanent verhindern.« (ebd., S. 26; ähnlich auch Mews 1984, S. 47) Eine Charakterisierung, die, wie bereits zitiert, auch im Vergleich Werther/Edgar getroffen werden kann.

Diskrepanz von Ideal und Wirklichkeit

In der Tat ist jenes mit dem Hineingeborensein verknüpfte Selbstverständliche ein sehr wichtiges Moment für die Weltsicht der beiden, auch gibt es keine *konkreten* innenpolitischen Äußerungen, weder zur Mc Carthy-Ära bei Holden noch zur Mauer bei Edgar usw. Die kritische Distanz wird an Alltäglichem oder am Atmosphärischen festgemacht.

Immerhin werden die großen Heilsversprechungen Christentum und Kommunismus durchaus aufgerufen: Holden bekennt sich als »Atheist«, der zwar nichts gegen Jesus, um so mehr aber gegen seine Jünger und das »übrige[n] Zeug in der Bibel« habe, vor allem aber gegen die »salbungsvolle Stimme« des Predigers. Edgar hatte »nichts gegen den Kommunismus«, aber etwas dagegen, dass »einer dem Abzeichen nach Kommunist ist und zu Hause seine Frau verprügelt«. Beide verbindet also ihre Aversion gegen eine »so unechte« (Salinger) Realität, sie wollen und können die Diskrepanz von Ideal und Wirklichkeit nicht hinnehmen.

Nicht zuletzt wird in vielen Kritiken darauf verwiesen, dass der Film – u. a. durch die Möglichkeit simultaner Duplizität des Protagonisten – eine adäquatere Umsetzung böte als das Theaterstück. In der Prosafassung kann solches nur durch verschiedene Erzählstränge bzw. -ebenen erreicht werden: Die Dialoge des Vaters mit der Mutter, mit Willi, Charlie und Addi werden in der chronologischen Reihenfolge seiner Nachforschungen dargeboten, hierin durchaus dem »Herausgeber« der Werther-Briefe folgend. Dieser schrieb »an den Leser«, dass er es »mit Fleiß« unternommen habe, »genaue Nachrichten aus dem Munde derer zu sammeln, die von seiner Geschichte wohl unterrichtet sein konnten; sie ist einfach, und es kommen alle Erzählungen davon bis auf wenige Kleinigkeiten miteinander überein; nur über die Sinnesarten der handelnden Personen sind die Meinungen verschieden und die Urteile geteilt«. Erzählebenen

Bekanntermaßen werden die »Nachrichten« über Edgar durch die Kommentare und Erzählungen des Verstorbenen unterbrochen. Montagen also, Schwenks und Blenden, Techniken, die den Film mit der Prosa verbinden. Ulrich Plenzdorf betont stets, dass er sich als Film- und nicht als Prosaautor verstehe.

Dieters Auftritt erfolgt, wie bereits beschrieben, als entscheidende Wendung in der Handlungsmitte, ganz dem Aufbau des klassischen Dramas gemäß. Folgt man dem Dramenschema – auch wenn die Montage die Chronologie unterbricht –, so wären Weggang aus Mittenberg und Ankunft in Berlin die »Exposition« und die Schilderung seines Abenteuers Berlin die »steigende Handlung«; dem »retardierenden Moment« – Arbeit in der Malerbrigade und »NFG«-Versuche, Besuch beim Vater, Affäre mit und Abschied von Charlie – folgt der Tod als »Katastrophe«. Dramen-schema

Stärker noch als das kommentierende verschmilzt das erzählende mit dem erlebenden Ich der Erinnerung, so dass der Leser bzw. Zuschauer dazu aufgefordert ist, sich an den Bemühungen des Vaters, ein Bild von Edgar sukzessive zu rekonstruieren, zu beteiligen. Zugleich weiß der Leser durch die Jenseits-Einschübe mehr als der fragende Vater, er wird gezwungen, durch Edgars Kommentare die Urteile seiner Wegbegleiter nicht für bare Münze zu nehmen.

Andererseits relativieren jene auch seine Kommentare, gleichwohl wird dies durch die Suggestivität des Edgar-Erzählers dem Leser entschieden schwerer gemacht: Nur von ihm erfahren wir, was er denkt und fühlt – bzw. dachte und fühlte –, nur er hat einen eigenen Sound; die Gespräche des Vaters und seiner Partner werden neutral, im Stil des »camera-eye« protokolliert. Vor allem jener Montagetrick »trägt Erkenntnisfrüchte und erlaubt Identifikation« (Wiegenstein 1973).

Epilog

Die Identifikation mit Edgar war grenz- und systemübergrei- Identifikation
fend, auch wenn es insbesondere in Bezug auf die westdeutschen
Theateraufführungen Rezensenten gab, die meinten, dass die
Ost-Story im Westen nicht funktioniere. Doch nicht nur die Ver-
kaufszahlen, sondern auch zahlreichen Zuschauer-, Leser- und
Kritikerstimmen zeugen eher von einem identifikatorischen Po-
tential der Geschichte. Und dies wohl nicht zuletzt deshalb, weil
es wohl einfach zur Initiation dazugehört, »daß die Jugend gegen eine Kleinbürger- und Beamtenmentalität mit ihren typi-
schen deutschen Merkmalen Ordnung, Einordnung und Anpassung aufbegehrt« (Dormagen 1981, S. 319).

Zum jugendlichen Nonkonformismus gehört neben Jugend-
sprache bzw. Slang auch die ritualisierte, bis ins Uniforme und
Intolerante gehende Abgrenzung nicht nur gegenüber dem über-
lieferten Wertekanon, sondern auch die Schaffung peergroup-
spezifischer Konventionen: Verhaltensmuster, die die Jugendlichen oft genug in ein ambivalentes Dreieck von Gruppenbe-
kenntnis, Individualitätsbetonung und Mode (Kleidung, Musik,
Lektüre, etc.) stellen – als Distanzmarkierung zur älteren bzw.
elterlichen Generation, aber auch zu denen, die anders sind.
»Jeans sind eine Einstellung und keine Hosen«, bringt es Edgar
auf den Punkt. Auch hier berühren sich die drei Bücher: Edgars
Jeans, Werthers blauer Frack mit gelber Weste und Holdens rote
Jagdmütze sind Signale, nicht nur Kleidungsstücke.

Natürlich las sich das mit den Jeans westlich der Mauer als völlig
übertrieben – und mit historischem Abstand erst recht. Dass
aber Edgar von entschieden zu vielen westlichen Einflüssen geprägt war, darüber waren sich die sozialistischen Tugendwäch-
ter einig – und Jeans kamen nun mal vom Klassenfeind, selbst
wenn sie einst Arbeitshosen waren. Auch wenn diesbezüglich die
staatliche Toleranz größer werden sollte, die eingangs avisierte
Hoffnung auf eine Liberalisierung erfüllte sich, wie wir wissen,
nicht.

Bereits auf der 9.Tagung des ZK der SED (1973) waren wieder
deutliche Worte zu hören: dass es nicht angehe, »eigene Leiden

der Gesellschaft aufzuoktroyieren« (Honecker) und dass »die Grundhaltung solcher Werke dem Anspruch des Sozialismus an Kunst und Literatur entgegenstehen« (Kurt Hager).

Es folgten die Ausbürgerung Wolf Biermanns (1976) – Ulrich Plenzdorf gehörte »zu den aktiven Unterschriftenwerbern« der Protestpetition – und der Ausschluss von neun Autoren aus dem Schriftstellerverband (1979; zu den Ausgeschlossenen gehörte u. a. Klaus Schlesinger). Von 1977 bis 1984 wurde eine zwölfbändige, 2889 Blatt umfassende Akte zum »Operativen Vorgang *Dramatiker*« geführt; hinzu kamen weitere Aktenbände der »HA XX« (HA: Hauptabteilung) mit über 600 Blatt sowie der »Operative Schwerpunkt *Selbstverlag*« (ab 1975; vgl. *Berliner Geschichten, »Operativer Schwerpunkt Selbstverlag«, Eine Autorenanthologie* [. . .], st 2256, Frankfurt/M. 1995).

Operativer Vorgang Dramatiker

Erste Berichte liegen allerdings schon aus dem Jahr 1972 vor. Zur Begründung heißt es u. a.: »Durch feindliche Äußerungen und literarische Arbeiten mit einer negativen und feindlichen politisch ideologischen Aussage, Interviews in der Westpresse tritt die Person ständig in Erscheinung« (Operativer Vorgang *Dramatiker*, Archiv-Nr. 14940/84, Bd. 1, S. 4). Der »Maßnahmeplan« zielte zum einen auf die »Schaffung und Dokumentation strafprozeßual verwertbarer Beweise« und auf die »Hintermänner der Feindtätigkeit des Plenzdorf«, zum anderen sollte er »bei geeigneten Personen glaubwürdig als ein moralisch verkommenes Subjekt« diskreditiert werden (ebd., S. 7). Deutlich wird in den Akten, dass man sich über die Absichten Ulrich Plenzdorfs durchaus im Klaren war: »Plenzdorf versucht ständig, die Grenzen seiner Möglichkeiten abzutasten und nach außen zu verschieben« (ebd., Bd. 2, S. 309).

Ulrich Plenzdorf blieb in der DDR, wenn auch »um den Preis der verlorenen Zeit«: »Wenn man erst mal so auf sein Publikum geprägt war – wie das Publikum auch auf uns –, dann nimmt man diese verlorene Zeit hin. Das war auch ein Akt von Solidarität. Wir wären ja nicht andere Menschen, dachte ich; wir hätten nur durch Zufall oder Glück eine gewisse Position in öffentlichen Medien – Film, Theater, Bücher – inne. Und wir haben uns auch und in zunehmendem Maße als Sprachrohr gefühlt und wurden in diesem Punkt auch immer wieder bestätigt.

Wenn wir dann also nach verlorenen Jahren mal wieder zu Wort kamen, waren Zulauf und Zuspruch immens. Zu dem Thema gibt es auch das schöne Wort des Tschechen Hrabal, dem ähnliche Fragen gestellt wurden. Man soll, war seine Antwort, die Suppe da auslöffeln, wo sie eingebrockt wurde« (Krätzer 2002, S. 171).

»Gehindertes Glück, gehemmte Tätigkeit, unbefriedigte Wünsche sind nicht Gebrechen einer besonderen Zeit«, erklärte Goethe gegenüber Eckermann, »sondern jedes einzelnen Menschen, und es müßte schlimm sein, wenn nicht jeder einmal in seinem Leben eine Epoche haben sollte, wo ihm der ›Werther‹ käme, als wäre er bloß für ihn geschrieben.« Ganz »im Zeichen *Werthers*« stehen für Heinz Piontek *Die neuen Leiden des jungen W.*: »Für das Leistungsprinzip, hüben wie drüben vergöttert, ist ein Wort wie ›scheitern‹ überholt, gehört einem längst überwundenen Wortschatz an. Dieser Edgar aber weiß es besser [. . .]. Das Bewußtsein einer Gesellschaft, aus dem die Anerkennung des Scheiterns verdrängt wird, muß nach und nach unmenschliche Züge annehmen.« (Brenner 1982, S. 295) – »Wenn du fragst«, heißt es diesbezüglich schon bei Werther, »wie die Leute hier sind, muß ich dir sagen: wie überall!«

Danksagung

Ich danke Ulrich Plenzdorf für die Gespräche und die vertrauensvolle und hilfreiche Gewährung von Akteneinblicken.

Literaturhinweise

Bibliografien

Behn-Liebherz, Manfred: »Ulrich Plenzdorf«, in: *Kritisches Lexikon zur deutschsprachigen Gegenwartsliteratur*, hg. v. Heinz Ludwig Arnold, München 1978 ff.

Bühler, Arnim-Thomas: *Ulrich Plenzdorf, Personalbibliographie 1970–1993*, Giessen 1996 (2.Aufl. Wetzlar 2000).

Brenner, Peter J. (Hg): *Plenzdorfs »Neue Leiden des jungen W.«*, Frankfurt/M. 1982, S. 347–359.

–: *Neue deutsche Literaturgeschichte. Vom »Ackermann« zu Günter Grass*, Tübingen 1996, S. 299 f.

Mews, Siegfried: *Ulrich Plenzdorf*, München 1984, S. 129–132.

Plenzdorf, Ulrich: *Die neuen Leiden des jungen W. und andere Stücke. Stücke und Materialien*, Frankfurt/M. 2002, S. 208–211.

Profitlich, Ulrich: »Auswahlbibliographie zum DDR-Drama«, in: *Dramatik der DDR*, hg. v. Ulrich Profitlich, Frankfurt/M. 1987, S. 399–474.

Schmidt, Heiner: *Quellenlexikon zur deutschen Literaturgeschichte: Personal- und Einzelwerkbibliographien der internationalen Sekundärliteratur 1945–1990 zur deutschen Literatur von den Anfängen bis zur Gegenwart. Bd. 25*, Duisburg 2000, S. 37–44.

Interviews

Corino, Karl: »Gespräche mit DDR-Schriftstellern«, in: *Deutschland-Archiv*, Heft 2/1974, S. 165–171 (vgl. auch *Deutsche Zeitung – Christ und Welt*, 18.1.1974; *Süddeutsche Zeitung*, 8./9.12.1973).

Kasselt, Rainer: »Wollte ich im Haß zurücksehen, müßte ich mich selber hassen«, in: *Süddeutsche Zeitung am Wochenende*, 29.1.1993.

Krätzer, Jürgen: »Illusionen gab es zuhauf. Ulrich Plenzdorf im Gespräch mit Jürgen Krätzer«, in: Ulrich Plenzdorf, *Die neuen Leiden des jungen W. und andere Stücke. Stücke und Materialien*, Frankfurt/M. 2002, S. 157–207.

»Macht Sozialismus sinnlich? SPIEGEL-Interview mit DDR-Autor Ulrich Plenzdorf«, in: *Der Spiegel*, 12.4. 1976, S. 224–227.

Reiffert, Karl: »Wir gehen zum Teufel«, in: *taz*, 1.6.1987.

Steinert, Hajo: »Geduld mit heiligen Kühen. Ein Gespräch mit dem DDR-Dramatiker Ulrich Plenzdorf«, in: *Die Zeit*, 5. 6.1987 (vgl. auch *Kölner Stadtanzeiger*, 12.9.1985).

Sylvester, Regine: »Ich stehe zur Verfügung«, in: *Berliner Zeitung*, 29./30.3.2003.

Monographien und eigenständige Veröffentlichungen

Brenner, Peter J. (Hg): Plenzdorfs »Neue Leiden des jungen W.« Materialien, Frankfurt/M. 1982.

Eisenbeis, Manfred: Lektürehilfen, Ulrich Plenzdorf, »Die neuen Leiden des jungen W.«, Stuttgart 1989 ff.

Kaschuge, Heidrun: Goethe-Plenzdorf. Die (neuen) Leiden des jungen (W.) Werthers. Vergleiche und Untersuchungen, Hollfeld 1974 ff.

Leppla, Otmar/Fischer, Hartmut: Stundenblätter Plenzdorf, ›Die neuen Leiden des jungen W.‹ Sekundarstufe 1, Stuttgart 1985 ff.

Mews, Siegfried: Ulrich Plenzdorf, München 1984.

Münder, Peter: Erläuterungen zu Ulrich Plenzdorf ›Die neuen Leiden des jungen W.‹ (Königs Erläuterungen und Materialien 304), Hollfeld 1976 ff.

Neis, Edgar: Stundenbilder: Johann Wolfgang von Goethe, Werthers Leiden – Ulrich Plenzdorf, Die neuen Leiden des jungen W. Ein Vergleich, Hollfeld 1985.

Poppe, Reiner: Erläuterungen zu Ulrich Plenzdorf, Die neuen Leiden des jungen W., Hollfeld 2002.

Reis, Ilse H.: Ulrich Plenzdorfs Gegen-Entwurf zu Goethes »Werther«, Bern und München 1977.

Schäfer, Astrid: Selbstzensur oder Selbstkritik? Textrevision im Spannungsfeld politischer und künstlerischer Normen, München 1999.

Wolff, Jürgen: Materialien: Ulrich Plenzdorfs »Die neuen Leiden des jungen W.«, Stuttgart 1980 ff.

Aufsätze, Rezensionen, Essays

Die in der Sekundärliteratur stets zitierte »Plenzdorf«-Diskussion zu »Die neuen Leiden des jungen W.« in Sinn und Form wurde in folgenden Ausgaben geführt: Heft 1/1973, S. 219–252; 3/1973, S. 672–676; 4/1973, S. 848–887; 6/1973, S. 1288–1293 (vgl. auch Brenner). Aus Platzgründen musste der Schwerpunkt auf die im Nachwort zitierten Quellen gelegt werden; die im Materialienband von Peter J. Brenner versammelten Aufsätze werden aus gleichem Grund nicht einzeln aufgeführt.

Dormagen, Paul u.a. (Hg): Handbuch zur modernen Literatur im Deutschunterricht. Prosa, Drama, Hörspiel, Frankfurt/M. 1981, S. 318 f.

Emmerich, Wolfgang: Kleine Literaturgeschichte der DDR, Darmstadt, Neuwied 1981 ff. (ab 1995 Leipzig; in dieser Ausgabe vgl. bes. S. 249 f.).

Fischbeck, Helmut: »Ulrich Plenzdorf, Die neuen Leiden des jungen W. Zur Literaturproduktion und -rezeption in der DDR«, in: Diskussion Deutsch, 5/1974, S. 338–358.

Flaker, Aleksandar: Modelle der Jeans Prosa. Zur literarischen Opposition bei Plenzdorf im osteuropäischen Romankontext, Kronberg/Ts. 1975.

Forster, Heinz/Riegel, Paul: *Deutsche Literaturgeschichte, Bd. 12: Die Gegenwart 1968–1990*, München 1998 f., S. 240–249.

Geschichte der deutschen Literatur von den Anfängen bis zur Gegenwart, Bd. 11: Literatur der DDR, hg. v. Hans-Günther Thalheim [...], von einem Autorenkollektiv unter der Leitung von Horst Haase und Hans-Jürgen Geerdts, Erich Kühne, Walter Pallus, Berlin 1977, S. 687–689.

Großklaus, Götz: »West-östliches Unbehagen. Literarische Gesellschaftskritik in Ulrich Plenzdorfs ›Die neuen Leiden des jungen W.‹ und Peter Schneiders ›Lenz‹«, in: *Basis. Jahrbuch für deutsche Gegenwartsliteratur*, Frankfurt/M. 1975, S. 80–99.

Grotzer, Peter: »›Die neuen Leiden des jungen W.‹ Zu Plenzdorfs intertextuellem Experiment als Modell der ›Jeans Prosa‹«, in: ders., *Die zweite Geburt. Figuren des Jugendlichen in der Literatur des 20. Jahrhunderts*, Bd. 1, Zürich 1991, S. 147–165.

Jäger, Georg: *Die Leiden des alten und neuen Werther: Kommentare, Abbildungen, Materialien zu Goethes ›Leiden des jungen Werthers‹ und Plenzdorfs ›Neuen Leiden des jungen W.‹ Mit einem Beitrag zu den Werther-Illustrationen von Jutta Assel* (Hansers Literatur-Kommentare, Bd. 21), München 1984.

Kerndl, Rainer: »Junger Werther in Blue Jeans«, in: *Neues Deutschland*, 8.6.1972 (vgl. auch 24.12.1972).

Kluge, Gerhard: »Plenzdorfs neuer Werther – ein Schelm?«, in: Labroisse, Gerd (Hg.), *Zur Literatur und Literaturwissenschaft in der DDR. Amsterdamer Beiträge zur neueren Germanistik*, Bd. 7/1978, S. 165–206.

Koch, Hans: »Der einzelne und die Gesellschaft. Einige geistige Probleme unserer Gegenwartsliteratur«, in: *Neues Deutschland*, 16.6.1973.

Kratschmer, Edwin: »Ulrich Plenzdorf«, in: *Reclams Romanlexikon, deutschsprachige erzählende Literatur vom Mittelalter bis zur Gegenwart*, hg. v. Frank Rainer Max und Christine Ruhrberg, Stuttgart 2000, S. 231–233.

Krüger, Michael: »Dossier, Literaturkritik in der DDR«, in: *Akzente* 5/1973, S. 444–467 (zu Plenzdorf S. 454–460).

Labroisse, Gerd: »Überlegungen zur Interpretationsproblematik von DDR-Literatur an Hand von Plenzdorfs ›Die neuen Leiden des jungen W.‹«, in: *Amsterdamer Beiträge zur neueren Germanistik*, Bd. 4/1975, S. 157–181.

Mannack, Eberhard: *Zwei deutsche Literaturen? Zu G. Grass, U. Johnson, H. Kant, U. Plenzdorf und C. Wolf* (Athenäum Taschenbücher Literaturwissenschaft 2123), Kronberg/Ts. 1977, S. 84–98.

Niehoff, Karena: »Gab ihm zu sagen, was er leidet?«, in: *Süddeutsche Zeitung*, 15.5.1973.

Piontek, Heinz: »Im Zeichen Werthers«, in: *Neue Zürcher Zeitung*, 29.5.1973.

Plenzdorfs »Die neuen Leiden des jungen W.« im Urteil der Zuschauer, interview DT 2/73, S. 4–8.

Raddatz, Fritz J.: »Die Neuen Leiden des jungen W. Das Debüt eines DDR-Autors«, in: *Süddeutsche Zeitung*, 16./17.9.1972.

Sander, Hans-Dietrich: »Die forsche Welle« (Sammelrezension zu Karl-Heinz Jakobs, Jochen Laabs, Helmut Richter, Herbert Otto, Joachim Knappe, Werner Heiduzek; Günter Görlich, Ulrich Plenzdorf), in: *Deutschland-Archiv* 9/1972, S. 958–962.

–: »Vom Monopol zum Oligol? Fortgang und Vertiefung der kulturpolitischen Wirren«, in: *Deutschland-Archiv* 5/1973, S. 454–459.

Scharfschwerdt, Jürgen, »Werther in der DDR«, in: *Jahrbuch der Schillergesellschaft*, Stuttgart 1978, S. 235–276.

Schlesinger, Klaus, »Der Mann mit dem lockeren Gang«, in: *Berliner Zeitung*, 26.10.1994.

Schmitt, Hans-Jürgen: »Plenzdorf«, in: *Lexikon der deutschsprachigen Gegenwartsliteratur*, begründet von Hermann Kunisch, neu bearbeitet und hg. v. Herbert Wiesner, München 1981, S. 399 f.

Thomaneck, J. K. A.: »Zum Stellenwert der Internationalen Brigadisten bei Anna Seghers im Kontext der Ankunftliteratur der DDR«, in: *Berliner Lesezeichen* 1/99.

Waiblinger, Franz Peter: »Zitierte Kritik. Zu den Werther-Zitaten in Ulrich Plenzdorfs ›Die neuen Leiden des jungen W.‹«, in: *POETICA* 1/1976, S. 71–88.

Weber, Ernst: »Transkriptionen: Goethes Romane in der Literatur der siebziger Jahre«, in: *Klassik und Moderne*, hg. v. Karl Richter und Jörg Schönert, Stuttgart 1983, S. 520–541.

Wiegenstein, Roland H.: »Als ob hüben gleich drüben wäre. Plenzdorfs DDR-Stück ›Die neuen Leiden des jungen W.‹ im Westen«, in: *Frankfurter Rundschau*, 11.5.1973.

Ulrich Plenzdorf im Internet

Biobibliographisches
- http://www.fallenbeck.net/buecher/autoren/ulrichplenzdorf.html
- http://www.dhm.de/lemo/html/biografien/PlenzdorfUlrich/
- http://www.funke-stertz.de/autoren/funke stertz.html
- http://www.progress-film.de/pages/plenzdorf.pdf

Zu den *Neuen Leiden des jungen W.*
- http://www.raffiniert.ch/splenzdorf.html
- http://www.fh-lueneburg.de/u1/gymo3/homepage/faecher/
  deutsch/plenzdorf/plenzdorf.html
- http://www.zum.de/Faecher/D/BW/gym/Produkt/plenzdrf.htm
- http://berg.heim.at/tibet/450508/Leiden.htm
- http://www.dradio.de/cgi-bin/es/neu-kopfnusserinnern/29.html
- http://www.krref.krefeld.schulen.net/referate/deutsch/r0621t00.htm
- http://www.bildung.hessen.de/mversuch/tv-weiser/plen_w/
  plen_w_interp.htm
- http://www.dradio.de/cgi-bin/es/neu-kalenderblatt/1822.html
- http://www.reflex.at/~christine.baumro/7c/ref/neuen.doc
- http://bbsw-trier.de/schueler/edgar.html

Zur Verfilmung der *Neuen Leiden des jungen W.*:
- http://www.bildung.hessen.de/mversuch/tv-weiser/plen_w/plen_w_seq.htm
- http://www3.inter-nationes.de/in/?MIval=fzfass_d.html&in_nr=1337
- http://www.klaus-hoffmann-online.de/index/werther.htm

Sonstige Literatur

Hager, Kurt: *Anspruch und Wirksamkeit der ideologischen Arbeit. Aus den Diskussionsreden auf der 9. Tagung des ZK der SED*, Berlin 1973.

Honecker, Erich: *Zu aktuellen Fragen bei der Verwirklichung der Beschlüsse unseres VIII. Parteitages.* 4. Tagung des ZK der SED, 16./17.12.1971, Berlin 1971.

Walther, Joachim u. a. (Hg.), *Protokoll eines Tribunals*, Reinbek bei Hamburg 1991.

Wort- und Sacherläuterungen

Volkspolizei: Kurzwort für »Deutsche Volkspolizei« (DVP), 9.6
am 1.6.1945 in der Sowjetischen Besatzungszone, der späteren
DDR, gegründet.

VEB: Volkseigener Betrieb; Bezeichnung für staatseigene Be- 9.16
triebe in der Sowjetischen Besatzungszone und danach in der
DDR.

WIK: Wohnungsinstandsetzungskombinat; Kombinat: Zu- 9.16
sammenschluss mehrerer VEB bzw. Betriebe technologisch und
ökonomisch eng zusammenhängender Produktionsstufen.

VEB (K): Volkseigener Betrieb (Kombinat). 10.7

Rowdy: Rohling, Raufbold. Anfang des 19. Jahrhunderts in 11.17
den USA für »Hinterwäldler«, bald auch Synonym für Straßen-
pöbel; seit Mitte des 19. Jh.s auch in Deutschland. In der DDR
war »Rowdytum« ein Strafrechtsterminus, unter dem nicht nur
eine kriminelle Gewalttat, sondern auch die »Missachtung des
sozialistischen Gemeinschaftslebens« subsumiert wurde.

gammelte: Aus zwei mittelhochdeutschen Worten für »Spiel, 11.27
Spaß« und »tänzeln, nichts tun« abgeleitet. Bald auch Synonym
für »arbeitsscheu«; »Gammler: junger Mensch mit ungepfleg-
tem Äußeren, der grundsätzlich keiner geregelten Arbeit nach-
geht« (*Handwörterbuch der deutschen Gegenwartssprache*,
Ost-Berlin 1984).

machte Pfötchen: Unter Abnehmen der Kopfbedeckung die 12.10
Hand geben und sich verbeugen; auch für »brav sein« in Anlehnung des Dressuraktes insbesondere bei Hunden.

Manufakturperiode: »Manufaktur« aus dem Lat. »manus« 13.22–23
(Hand) und »factura« (Machen); handwerkliche Produktions-
weise, die Mitte des 19. Jh.s durch die industrielle Revolution
abgelöst wurde bzw. heute für Kunsthandwerk verwendet wird.

Hitler: Adolf Hitler (1889–1945), ab 1921 Parteivorsitzender 14.19
der Nationalsozialistischen Deutschen Arbeiterpartei (NSDAP),
ab 1933, nach Ernennung zum »Reichskanzler«, als »Führer«
für die Verbrechen des »Deutschen Reichs« verantwortlich.

Himmler: Heinrich Himmler (1900–1945), ab 1929 »Reichs- 14.20
führer SS«, für die Verbrechen des »Deutschen Reichs« verant-

wortlich, insbesondere für die Errichtung der Konzentrations-
und Vernichtungslager.

14.21 **Hugenottenname**: Mit »Hugenotten« bezeichnet man seit
1560 die franz. kalvinistischen Protestanten. Auf Grund von
Verfolgungen (»Bartholomäusnacht« 1572) gingen sie ins Exil,
u. a. nach Brandenburg-Preußen, wo ihre Aufnahme durch das
»Edikt von Potsdam« (1685) des Kurfürsten Friedrich Wilhelm
gefördert wurde. Ihre Auswanderung war eine der Ursachen für
den wirtschaftlichen Niedergang in Frankreich; in den Gastlän-
dern sorgten sie für einen wirtschaftlichen und intellektuellen
Aufschwung.

15.7 **Selbstkritik**: Zunächst galt innerhalb der kommunistischen
Parteien das Prinzip der Kritik und Selbstkritik als Erziehungs-
mittel der Parteimitglieder; sollte später »gesamtgesellschaft-
lich« Anwendung finden. »Selbstkritik« wandelte sich im Lauf
der Zeit von öffentlichen Demütigungsritualen mit oft berufli-
chen und/oder existentiellen Folgen zum »Gesülze«.

16.1 **Daß ich dabei über den Jordan ging**: Synonym für »Sterben«.
Nach der biblischen Geschichte der israelit. Stämme, die den
Jordan durchquerten und trockenen Fußes und nicht verfolgbar
ans andere Ufer gelangten.

16.19–23 **kurz und gut [. . .] meinen sinn gefangengenommen**: Zitat aus
dem Brief-Roman *Die Leiden des jungen Werther* von Johann
Wolfgang Goethe (s. Nachwort); Brief Werthers vom 16. Juni
1771 – »Edgar« zitiert nicht immer korrekt bzw. verbindet verschiedene Briefstellen miteinander; die Kleinschreibung und die
Schrägstriche imitieren den Telegrammstil.

16.24–26 **nein / ich betrüge [. . .] in ihrer gegenwart**: Brief Werthers vom
13. und 16. Juli 1771.

16.28–30 **genug / wilhelm [. . .] das herz zerrissen**: Brief Werthers vom 30.
Juli 1771.

17.1–5 **er will mir [. . .] es auch angeht**: Brief Werthers vom 30. Juli
1771.

17.6–9 **das war eine [. . .] sind die Pferde**: Brief Werthers vom 10. September 1771.

17.10–18 **o meine freunde [. . .] finde eine welt**: Brief Werthers vom 26.
und 22. Mai 1771.

17.19–22 **und daran seid [. . .] einem säftchen bei**: Briefe Werthers vom
24. Dezember 1771 und vom 24. März 1772.

Reclamheft: Der Leipziger Verleger Anton Philipp Reclam   17.26
gründete 1867 die Taschenbuchreihe »Universal-Bibliothek«
(Verlag »Philipp Reclam jun.« seit 1837).

Motive: In der bildenden Kunst ein für Thema und Sinngehalt   18.13
bedeutsames Element, das in der Verbindung von Inhalt und
Form den Werkgehalt trägt.

abstrakt: In der bildenden Kunst eine nicht mimetisch (»nach-   18.16
ahmend«) oder »realistisch« arbeitende Richtung der Moderne,
die dennoch mehr meint als pure Ornamentik.

Schlamper: Mann mit »unordentlichem«, »schlampigem« Le-   18.31
benswandel (»Schlampe« war im historischen Sprachgebrauch
Synonym für Prostituierte; »Schlampamp« für [studentisches]
Zechgelage).

Jumo: Umgangssprachliche Abkürzung für die »Jugendmode«   22.4
einer Ladenkette, die in der DDR versuchte, modernere Kleidung anzubieten – »In der Herbst/Wintersaison 1967/68 nahm
›centrum‹ erstmalig eine spezielle Jugendmodekollektion ins
Sortiment auf; ›konsument‹ folgte dieser ›Moderevolution‹ ein
Jahr später« (Annette Kaminsky, *Kaufrausch. Die Geschichte
der ostdeutschen Warenhäuser*, Berlin 1998).

Händelsohn Bacholdy: Namensschöpfung aus den Komponis-   22.7
tennamen Mendelssohn Bartholdy (1809–1847), Georg Friedrich Händel (1685–1759) und Johann Sebastian Bach (1685–
1750); die Wortspielerei ist wohl eher eine bewusste Ironisierung
Edgars als eine offenbarte Bildungslücke; über die klangliche
Komponente hinaus gibt es auch einen realen musikhistorischen
Hintergrund: Mendelssohn Bartholdy ist die Wiederentdeckung
der Werke Bachs und Händels im 19. Jh. zu verdanken.

Jeans sind eine Einstellung und keine Hosen: Offene opposi-   22.29
tionelle Aufnahme eines zentralen Agitationstopos der DDR-Pro-
paganda; gegen jemanden mit einer »falschen Einstellung« (zum
Sozialismus usw.) konnten verschiedene restriktive Maßnahmen ergriffen werden.

Plünnen und Rapeiken: Sachen, Habe, Zeug, Klamotten, wohl   23.32
mit »Plunder« verwandt, wobei mit »Plünnen« v. a. Wäsche-
stücke gemeint sind (zur etymologischen Herkunft werden verschiedene Angaben gemacht: norddt., schles., jidd.).

Satchmo: Spitz- bzw. Künstlername (Satchelmouth: Schlüssel-   24.21

maul) für Louis Daniel Armstrong (1900–1971); amerik. Jazzmusiker (Trompete und Gesang), seine Schallplatten waren auch
in der DDR erhältlich.

24.24–25 **Robinson Crusoe**: Berühmtester Roman (1719) des engl.
Schriftstellers und Journalisten Daniel Defoe (Foe) (1660–
1731). Neben dem Abenteuerlichen auch Bezug auf die »Robin-
sonaden«-Situation, d. h., ein auf sich allein gestellter »Held« –
»Insulanerdasein« – steht im Mittelpunkt.

26.14 **Salinger**: J(erome) D(avid) Salinger, amerik. Prosaautor (*
1919); schrieb 1951 den Weltbestseller *The Catcher in the Rye*
(dt.: *Der Mann im Roggen* von Irene Mühlhorn 1954; von Heinrich und Annemarie Böll überarbeitet u. d. T. *Der Fänger im
Roggen* 1962. Der Roman erschien in mehreren Auflagen auch
in der DDR; EA in der DDR beim Verlag Volk und Welt 1965).
Der Fänger im Roggen ist in der Ich-Form erzählt, der Protagonist heißt Holden Caulfield und sollte nicht – wie es Edgar
offensichtlich tut – mit dem Autor gleichgesetzt werden; der Roman wurde immer wieder als ein »Werther der jungen amerikanischen Generation« bezeichnet.

27.24 **Plumpsklo**: Toilette ohne Anschluss an die Kanalisation; die
Fäkalien »plumpsen« in eine Art Kübel.

28.28 **Kissenpuper**: Büroangestellter, Beamter. »Man denkt sich, sie
ließen die Darmwinde ins Sitzkissen entweichen« (Heinz Küp-
per, *Wörterbuch der deutschen Umgangssprache [CDR]*, Berlin
2000).

28.35 **Thomas Müntzer**: Zeitgenosse Luthers (um 1490–1525), nicht
Goethes bzw. Werthers. Radikaler Reformator, der sich auf die
Seite der Aufständischen im Bauernkrieg stellte und hingerichtet
wurde.

29.17 **Film**: Eine (offizielle) Verfilmung des Salinger-Romans existiert
nicht (s. http://www.mardou.de/beat/wfanger.htm).

29.29 **Chaplin**: Chaplin, »Charlie« (Sir Charles Spencer; 1889–1977),
brit. Filmschauspieler, Regisseur und Produzent.

29.30 **Melonenfilme**: Eine Melone war eine zeitübliche Kopfbedeckung der Stummfilmzeit, deren Star Chaplin war.

30.26 **M.S.-Jungs**: Modern Soul Band 1968 als Modern Septett gegründet; wurde in der DDR v. a. durch diverse Cover-Versionen
bekannt (MSB).

Brigade: Arbeitskollektiv, das eine gemeinsame Aufgabe ver- 31.7
bindet (Synonym für »Team«, wurde in der DDR-Ideologie als
wichtiges Strukturelement der sozialistischen Gesellschaft gefördert).

Kolchose: Dem russ. Begriff für »landwirtschaftlichen Produk- 37.30
tionsgenossenschaft« ironisierend nachgebildet.

Kurz und gut [. . .] meinen Sinn gefangengenommen.: Brief 38.2–6
Werthers vom 16. Juni 1771.

Schattenriß: Auch Werther befand seine Malfähigkeiten als un- 40.12–13
genügend und behalf sich mit einem Schattenriss; parallel auch
der »Besitz« der realen und der abgebildeten Geliebten: »Lottens Porträt habe ich dreimal angefangen, und habe mich dreimal prostituiert; das mich um so mehr verdrießt, weil ich vor
einiger Zeit sehr glücklich im Treffen war. Darauf habe ich denn
ihren Schattenriß gemacht, und damit soll mir g'nügen« (Brief
Werthers vom 24. Juli 1771). » [. . .] ich wartete auf Nachricht,
wann euer Hochzeitstag sein würde, und hatte mir vorgenommen, feierlichst an demselben Lottens Schattenriß von der Wand
zu nehmen und ihn unter andere Papiere zu begraben. Nun seid
ihr ein Paar, und ihr Bild ist noch hier! Nun, so soll es bleiben!
Und warum nicht?« (Brief Werthers vom 20. Februar 1772)

Es ist ein [. . .] um es loszuwerden.: Brief Werthers vom 17. Mai 41.1–5
1771.

Nein, ich betrüge [. . .] in ihrer Gegenwart.: Brief Werthers vom 42.23–25
13. und 16. Juli 1771.

SOK: 1971 gegründete (Rock-)Jazzband; wirkte 1972 bei der 43.30
Aufführung des Stückes *Die Leiden des jungen W.* am DT in
Berlin mit.

Petrowski: Ernst Ludwig Petrowski (auch: Ernst-Ludwig Pe- 43.30
trowsky), Jazzmusiker (Saxophon).

Wie wohl ist [. . .] er selbst gezogen.: Brief Werthers vom 21. 49.32–34
Juni 1771.

länger gedient: Sich für eine längere – als die üblichen 18 Mo- 51.19
nate – Dienstzeit bei der Armee verpflichtet haben.

Genug, Wilhelm, der [. . .] das Herz zerrissen.: Brief Werthers 51.25–27
vom 30. Juli 1771.

Innendienstleiter: Sie waren verantwortlich für »Disziplin und 52.2
Ordnung« im Kasernenbereich (laut Dienstordnung für: We-

cken, Stuben- und Revierreinigen, Esseneinnahme, Tischdienst, Ausbildung, Wartung der Waffen und Sachinstandsetzung, Freizeit, Stubendurchgang und Zapfenstreich).

52.28 **Bismarck**: Otto Eduard Leopold Fürst von Bismarck (1815–1898), preuß.-dt. Staatsmann und erster Kanzler des durch »Blut und Eisen« geeinten Deutschen Reiches (1871–1890).

53.18–26 **Man kann zum Vorteile [...] Ausdruck derselben zerstören!**: Brief Werthers vom 26. Mai 1771.

54.20 **Pazifist**: Anhänger des Pazifismus (aus dem lat. »pacificus« [friedliebend] abgeleitet), lehnt jede Form der Gewalt ab.

54.22 **Vietnambilder**: Gemeint ist die amerik. Phase des Vietnamkrieges 1964/65–1973; insbesondere die filmischen und fotografischen Aufnahmen – z. B. von der Erschießung vor laufender Kamera oder von Napalm-Einätzen (berüchtigter Brandkampfstoff, den die USA in Vietnam großflächig einsetzten) – sorgten für eine starke internationale Solidarität mit Vietnam und eine globale Antikriegsbewegung (auch in den USA).

55.1–5 **Er will mir [...] es auch angeht.**: Brief Werthers vom 30. Juli 1771.

55.26 **Stubendurchgang**: (Hier: ironisierender, weil auf Dieters militärische Funktion anspielender) Begriff für die Kontrolle soldatischer Unterkünfte.

55.28 **Old Goghs Sonnenblumen**: Vincent Willem van Gogh (1853–1890), niederländ. Maler. 1888 malte van Gogh mehrere Bilder mit dem Sonnenblumenmotiv.

56.1–2 **Dieses prachtvolle Paar da am Strand.**: Walter Womacka (Jg. 1925, Rektor der Kunsthochschule Berlin; u. a.: Mosaikfries für das Berliner »Haus des Lehrers«): Junges Paar am Strand.

56.23 **Marx**: Karl (Heinrich) Marx (1818–1883), dt. Philosoph, Ökonom und Publizist; nach ihm wird die sozialistische Theorie und Bewegung als »Marxismus« bezeichnet. Er sowie die beiden Folgenden wurden als »Klassiker« bezeichnet, deren Schriften in allen geisteswissenschaftlichen Studienrichtungen in der DDR zitiert wurden.

56.23 **Engels**: Friedrich Engels (1820–1895), dt. Philosoph, Ökonom und Publizist; mit Karl Marx Mitbegründer des »wissenschaftlichen Sozialismus«. Das 1848 von Marx und Engels in London publizierte *Manifest der Kommunistischen Partei* (»Kommunis-

tisches Manifest«) gilt als wichtigste Schrift der auf Revolution
orientierten Arbeiterbewegung.

Lenin: Wladimir Iljitsch Lenin (1870–1924; eigentlich: Wladi- 56.23
mir Iljitsch Uljanow), Führer der Bolschewiki (Partei der russ.
Kommunisten); nach der Oktoberrevolution 1917 Staatschef
der Sowjetunion.

Mein Freund [. . .] Ein andermal davon.: Brief Werthers vom 57.23–27
12. August 1771. Werther zitiert in diesem Brief, der mit den
Worten »Gewiß, Albert ist der beste Mensch unter dem Himmel« beginnt, in einer Art Gedächtnisprotokoll ein Gespräch
mit seinem Rivalen.

Das war eine [. . .] sind die Pferde . . .: Brief Werthers vom 10. 59.1–4
September 1771.

Schiller: (Johann Christoph) Friedrich von Schiller (1759– 61.2
1805), Schriftsteller und Historiker.

Goethe: Johann Wolfgang von Goethe (1749–1832) Schrift- 61.2
steller, Naturforscher, Staatsmann. (Goethe und Schiller be-
gründeten die Kunstepoche der Weimarer Klassik.)

Glöckner von Notre-Dame: Missgestaltete Figur aus Victor 62.18
Hugos Roman *Notre-Dame de Paris* (1831/1833).

Spanien: Verweis darauf, dass Zaremba Kämpfer der »Inter- 62.21
nationalen Brigaden« im span. Bürgerkrieg war. Der span. Bürgerkrieg (1936–1939) richtete sich gegen den Militärputsch des
General Franco (1892–1975, Diktator von Spanien 1939–
1975). Die »Internationalen Brigaden« bestanden aus ausländischen Freiwilligen, die auf der Seite der Republik kämpften.
Sie wurden von der »Kommunistischen Internationale« (»Komintern«) organisiert, vereinten aber nicht nur Kommunisten und
Sozialisten.

Philadelphia: Evtl. Verweis darauf, dass Zaremba – vermutlich 62.22–23
nach Auflösung der »Internationalen Brigaden« 1938 – in die
USA (was auch als »nicht in die UdSSR« zu lesen ist) emigrierte.

Hammer und Sichel: Emblem der sowjet. Staatsflagge. (Die 62.28
Werkzeuge der Arbeiter und Bauern sollen Machtbündnis sym-
bolisieren.)

Kremlmauer: Der Kreml ist eine Moskauer Festung aus dem 12. 62.28–29
Jh., heute Sitz der russ. (vorher der sowjet.) Regierung.

Auf, Sozialisten, schließt [. . .] die Fahnen wehn . . .: Erste Verse 64.6–8 des »Sozialistenmarsches« von Max Kegel (Text) und Carl Gramm (Melodie). Das Lied entstand 1891 in Vorbereitung auf den »Erfurter Parteitag«, dem ersten legalen Parteitag der dt. Sozialdemokratie nach dem Verbot durch das Bismarcksche »Sozialistengesetz«.

64.30 **diesmal mit Partisanen:** Das um 1942 entstandene »Lied der ital. Partisanen«.

65.21 **nach fünfundvierzig:** Nach dem Ende des Zweiten Weltkriegs übernahmen dt. Antifaschisten administrative Funktionen, oft auch unabhängig von der fachlichen Qualifikation.

66.1 **Pop-art:** (auch: Pop Art, Wortschöpfung von L. Alloway) Kunstrichtung, Mitte der 1950er-Jahre im angloamerik. Kulturraum entstanden. Steht im engen Zusammenhang mit der Pop-Kultur, jedoch ist die Kunstströmung von der Massen- und Unterhaltungskultur zu unterscheiden, auch wenn es deutliche strukturelle Parallelen (Nähe zu Serienproduktion, Werbung, Massenmedien, Banalität, Erotik usw.; die Betonung der Alltagskultur, Collagetechniken u. a. m.) und gemeinsame Projekte gibt. Bekannt – und für Edgar vermutlich bedeutsam – sind z. B. im Bereich der Musik die Gestaltung von Schallplattencovern, z. B. von P. Blake für die »Beatles« oder von A. Warhol für »Velvet Underground«.

66.19 **NFG:** Assoziiert – insbesondere, nachdem wenige Seiten zuvor auf Goethe und Schiller verwiesen wurde – die in der DDR übliche Abkürzung für die 1953 auf Regierungsbeschluss gegründeten »Nationalen Forschungs- und Gedenkstätten der klassischen deutschen Literatur in Weimar« (seit 1991 »Stiftung Weimarer Klassik«).

67.23 **nicht unsere erste Erfindung:** Im Rahmen des »Sozialistischen Wettbewerbs« der Brigaden spielte die so genannte »Neuererbewegung« eine wichtige Rolle. Man versuchte, über institutionalisierte Förderung, d. h. über die Gewerkschafts- und Jugendorganisationen die Arbeitenden – insbesondere die Jugendlichen – zu veranlassen, Vorschläge zur Produktionsverbesserung einzureichen. Seit Anfang der 1970er-Jahre gab es eine »Neuererverodnung«, die u. a. auch die »moralische Würdigung und materielle Anerkennung der Neuerer« regelte.

67.32 **Spleen:** Aus dem Engl. im 18. Jh. ins Dt. übernommen (Sophie von La Roche u. a.), steht für wunderliche Wesensart, eigentümliche Laune, im Laufe der Zeit synonym gebraucht für Schrulle, Marotte, Tick, Verschrobenheit, Überspanntheit, Hochmut, Eitelkeit.

Er ist der [. . .] Danke machen kann.: Brief Werthers vom 24. Dezember 1771. 68.17–20

Althochdeutsch: Von Edgar falsch benutzter Begriff für die Sprache der Goethe-Zeit. Das Althochdt. umfasst sprachgeschichtlich ca. die Zeit vom 6. (bzw. 8.) bis zum 11. Jh.; das bekannteste literarische Zeugnis jener Epoche ist das Hildebrandslied. Man unterscheidet im Wesentlichen drei Sprachetappen in der Entwicklung des Deutschen: Althochdt., Mittelhochdt. (ca. Mitte 11. bis Mitte 14. Jh.), Neuhochdt. (seit dem 14. Jh.; bis ca. 1600 spricht man vom Frühneuhochdt.). 68.24

Es ist ein [. . .] um es loszuwerden.: Brief Werthers vom 17. Mai 1771. 69.15–19

Genossen: Anrede für Mitglieder der sozialdemokratischen, sozialistischen oder kommunistischen Partei (in der DDR für die Mitglieder der Sozialistischen Einheitspartei Deutschlands [SED], aber auch in der Armee üblich), zugleich aber auch Synonym für Gefährten, Kameraden (auch ideell: »Gesinnungsgenossen«). Edgar spielt hier wohl mit mehreren Bedeutungen. 70.4

Und daran seid [. . .] einem Säftchen bei.: Briefe Werthers vom 24. Dezember 1771 und vom 24. März 1772. 70.8–11

echte Jeans: Gemeint sind Levi's, die in der DDR normalerweise nicht zu kaufen waren. 72.9

authentische Jeans: Manchmal wurden in der DDR zwar Levi's, hier aber zu Edgars Leidwesen keine Blue Jeans verkauft. 72.33

Happening: (engl.: Ereignis, Geschehen) Aktionskunst, die verschiedene Kunstgenre und Sinnesansprachen zusammenführt, kann sowohl spontan improvisiert als auch akribisch geplant sein. Als Bezeichnung für bzw. als »neue Kunstform« seit den von Allan Kaprow 1959 in New York inszenierten »18 Happenings in 6 Teilen« üblich; eng mit der Pop Art verbunden. Vorformen gab es – wenn man nicht bestimmte Feste und Riten ebenfalls darunter fassen möchte – seit 1900 mit der Herausbildung neuer Kunstströmungen, insbesondere des Dadaismus (Kurt Schwitters u. a.). 72.34

74.14 **Tabula rasa**: Aus dem Lat.: »abgeschabte Tafel«; aus Wachstafeln wurden eingeritzte Schriftzeichen gelöscht, um die Platte neu beschriften zu können (Quellen: Aristoteles, Ovid, Albertus Magnus). Bald aber auch metaphorisch gemeint im Sinne von »ein unbeschriebenes Blatt« (unerfahren sein, aber auch für andere eine gänzlich unbekannte Person sein) oder »reinen Tisch machen« (Dinge ohne Rücksicht auf die Folgen radikal klären).

78.21 **Hugenottenmuseum**: Seit 1935 ist der franz. Dom am Gendarmenmarkt Sitz des Hugenottenmuseums, das Gebäude wurde 1944 im Zweiten Weltkrieg zerstört und erst in den Jahren 1978–1983 wieder aufgebaut.

79.9 **Mormone**: Bezeichnung für Anhänger der von Joseph Smith 1830 in den USA gegründeten christlichen Religionsgemeinschaft (auch »Kirche Jesu Christi der Heiligen der letzten Tage«), weltweit rund 11 Mio. Mitglieder (Deutschland ca. 36000). Die erste dt. Gemeinde wurde 1843 in Darmstadt gegründet; als erster dt. Tempel wurde auf dem Territorium der DDR der Freiberg-Tempel 1985 geweiht (zugleich der einzige Tempel in einem sozialistischen Staat); seit 1987 gibt es noch einen zweiten Tempel in Friedrichsdorf/Hessen.

79.23–25 **Wenn Sie mich [. . .] Stunde! nichts! nichts!**: Brief Werthers vom 20. Januar 1772.

84.34–35 **Auch ist er [. . .] lohnt ihm Gott.**: Brief Werthers vom 30. Juli 1771.

85.1 **Ich begriff zwar [. . .] zu tun hatte**: »Ehrlich« ist sprachgeschichtlich mit dem Begriff der »Ehre« verwandt; Werther gebrauchte »ehrlich« im Sinne von ehrenvoll, anständig, taktvoll, vornehm.

85.31–32 **vormilitärischen Ausbildung**: In der DDR gab es eine große Breite paramilitärischer Erziehungs- und Organisationsformen; die »Verteidigungsbereitschaft« nahm eine zentrale Stelle in der Propaganda ein. An den Schulen wurden v. a. die Jungen einer vormilitärischen Ausbildung unterworfen, die diese auf den Wehrdienst vorbereiten sollten. Schießübungen waren selbstverständlicher Bestandteil der Ausbildung, Träger war insbesondere die »Gesellschaft für Sport und Technik« (GST). Im Laufe der Zeit verschärfte sich der Druck auf die Jugendlichen, der GST beizutreten; ab 1978 wurde das Fach Wehrunterricht eingeführt.

Zieht ihn nicht [. . .] ist's und Gleichgültigkeit!: Aus dem »pos- 87.24–25
tumen« *Werther*-Kapitel »Der Herausgeber an den Leser«. Ed-
gar verdreht die Reihenfolge; korrekt lautet es: »Sattigkeit ist's
und Gleichgültigkeit! Zieht ihn nicht jedes elende Geschäft mehr
an als die teure, köstliche Frau? Weiß er sein Glück zu schätzen?
Weiß er sie zu achten, wie sie es verdient?«

Ausleihstation der Jugend: Das Attribut »der Jugend« trugen 88.35–89.1
viele Institutionen; warum sollte es nicht auch eine »Ausleihstation der Jugend« gegeben haben – evtl. auch ironische Replik
auf das »Stadion der Weltjugend« in Berlin.

LiteraMedia von Suhrkamp und Cornelsen
Literatur rundum erleben

LiteraMedia ist das ideale Arbeitsmittel für literarisch Interessierte, Lehrer, Schüler und Studenten. In dieser Reihe erscheinen bedeutende Werke der Weltliteratur jeweils in drei Medien: als Buchausgabe in der Suhrkamp BasisBibliothek, als Audio Book und als CD-ROM im Cornelsen Verlag.

»Hörbücher und CD-ROMs, wie es sie noch nicht gegeben hat. Hier kann auch noch der Lehrer etwas lernen. Denn zu all den Titeln der Suhrkamp BasisBibliothek gibt es jetzt Hörkassetten – nicht ›nur‹ Lesungen der alt-neuen Texte mit besten Darstellern, sondern auch Stimmen von Autoren. Die zweite Kassette jeder Edition bringt in einem 90-Minuten-Feature Informationen zu Leben, Werk und Wirkungsgeschichte des Autors. Hier profitiert nicht nur der Schüler, der für eine Prüfung büffeln muß, sondern auch der interessierte Leser, der sich nicht in jedem Fall Biographie oder Sekundärliteratur eines Autors beschaffen kann oder will. Ganz neu in dieser Nische der Literatur sind die multimedialen CD-ROMs: Jetzt wird Literatur zur Show, etwa durch Originalaufnahmen bedeutender Theateraufführungen – inklusive Entstehungsgeschichte des Werks, Erklärungen und Interpretation. Ein tolles Angebot.« *Die Zeit*

NF 338/1/1.02